NEW 서울대 선정 인문고전 60선

44
신채호 조선상고사

NEW 서울대 선정 인문 고전 ㊹
만화 신채호 **조선상고사**

개정 1판 1쇄 인쇄 | 2019. 8. 14
개정 1판 1쇄 발행 | 2019. 8. 21

김대현 글 | 최정규 그림 | 손영운 기획

발행처 김영사 | 발행인 고세규
등록번호 제 406-2003-036호 | 등록일자 1979. 5. 17.
주소 경기도 파주시 문발로 197 (우10881)
전화 마케팅부 031-955-3100 | 편집부 031-955-3113~20 | 팩스 031-955-3111

값은 표지에 있습니다.
ISBN 978-89-349-9469-5
ISBN 978-89-349-9425-1(세트)

좋은 독자가 좋은 책을 만듭니다. 김영사는 독자 여러분의 의견에 항상 귀 기울이고 있습니다.
독자의견전화 031-955-3139 | 전자우편 book@gimmyoung.com
홈페이지 www.gimmyoungjr.com | 어린이들의 책놀이터 cafe.naver.com/gimmyoungjr

이 도서의 국립중앙도서관 출판예정도서목록(CIP)은 서지정보유통지원시스템 홈페이지(http://seoji.nl.go.kr)와
국가자료종합목록시스템(http://www.nl.go.kr/kolisnet)에서 이용하실 수 있습니다. (CIP제어번호 : CIP2018042966)

어린이제품 안전특별법에 의한 표시사항

제품명 도서 제조년월일 2019년 8월 21일 제조사명 김영사 주소 10881 경기도 파주시 문발로 197
전화번호 031-955-3100 제조국명 대한민국 ⚠주의 책 모서리에 찍히거나 책장에 베이지 않게 조심하세요.

미래의 글로벌 리더들이 꼭 읽어야 할 인문고전을 만화로 만나다

NEW
서울대 선정
인문고전
60선

44
신채호 조선상고사

김대현 글 · 최정규 그림

주니어김영사

'서울대 선정 인문고전 50선'이 국민 만화책이 되기를 바라며

40여 년 전, 제가 살던 동네 골목 어귀에는 아이들에게 만화책을 빌려 주는 가게가 있었습니다. 땅바닥에 검정색 비닐을 깔고 그 위에 아이들이 좋아하는 만화책을 늘어놓았는데, 1원을 내면 낡은 만화책 한 권을 빌릴 수 있었지요. 저는 그곳에서 처음으로 만화책을 접했고, 만화책을 보면서 한글을 깨쳤습니다. 어쩌면 그때 저는 만화가 가진 힘을 깨우쳤다고 할 수 있습니다.

이렇게 만화책으로 시작한 책과의 인연으로 저는 책을 좋아하게 되었고, 중학교 때는 도서반장을 맡게 되었습니다. 약 10만 권의 장서를 자랑하는 학교 도서관을 매일 밤 10시까지 지키면서 참 많은 책을 읽었습니다.

또래의 아이들이 지겹게만 여기던 헤밍웨이의 《노인과 바다》를 두 손에 땀을 쥐며 네 번이나 읽었습니다. 또한 헤르만 헤세의 《데미안》을 읽으며 질풍노도의 시절을 달 랬고, 김래성의 《청춘 극장》을 밤새워 읽느라고 중간고사를 망치기도 했습니다.

당시 저의 꿈은 아주 큰 도서관을 운영하는 사람이 되어 하루 종일 책을 보면서 사 람들에게 필요한 책을 쓰는 작가가 되는 것이었습니다. 이제 저는 한 가지 더 큰 꿈을 가지려고 합니다. 그것은 우리나라의 아이들이 꿈과 위로를 얻고, 나아가 인생을 성찰 하게 해 줄 수 있는 멋진 만화책을 만드는 일입니다.

'서울대 선정 인문고전 50선'은 서울대학교 교수님들이 추천한 청소년들이 꼭 읽어야 할 동서양 고전 중에서 50권을 골라 만화로 만든 것입니다. 이 책들은 그야말로 인류 문화의 금자탑이라고 할 수 있는 것이지만, 사실 제목만 알고 있을 뿐 쉽사리 읽을 엄두가 나지 않는 책들입니다.

　그것을 수십 명의 중·고등학교 선생님들과 전공 학자들이 밑글을 쓰고, 또 수십 명의 만화가들이 고민에 고민을 거듭하여 쉽고 재미있게, 그러면서도 원서의 내용을 정확하게 전달할 수 있도록 노력하여 만들었습니다.

　그래서 '서울대 선정 인문고전 50선'이 어린이와 청소년뿐만 아니라 부모님들이 함께 봐도 좋을 만화책이라고 자부합니다. 국민 배우, 국민 가수가 있듯이 만화로 읽는 '서울대 선정 인문고전 50선'이 '국민 만화책'이 되길 큰마음으로 바랍니다.

손영운

위대한 선조의 역사를 일깨워
민족의 자부심을 되살리자!

　단재 신채호 선생님은 조선이 기울어가던 무렵 태어나서 나라를 빼앗기는 과정을 겪고 독립운동에 헌신하다가 결국은 일제에 잡혀 그토록 원하던 독립을 보지 못 하고 돌아가셨습니다. 그가 살았던 시대는 우리 역사상 우리 민족이 가장 큰 고통과 아픔을 겪었던 때였습니다. 이 시기에 그는 힘에 의한 독립을 추구하면서, 한편으로 역사를 통해 민족의 독립의지를 높이려고 노력하셨습니다. 우리 민족의 자랑스런 역사를 밝히려는 그의 노력이 바로 《조선상고사》라는 책입니다.

　사실 《조선상고사》는 이해하기가 매우 어려운 책입니다. 선생님이 이 글을 쓴 지 100년이 채 안 되었지만 용어가 오늘날과 다를 뿐 아니라, 내용적인 면에서도 오늘날 우리가 배워서 알고 있는 역사와 사뭇 다르기 때문입니다. 단재는 우리 역사를 서술하면서 언어적인 방법을 매우 중요하게 여겼습니다. 그래서 이 책을 읽으려면 우리 옛말에 대한 이해가 필요합니다. 또한 단재는 역사를 통해 민족의식을 고취시키려는 '민족주의 사학'의 입장에서 이 책을 서술하였습니다. 그러다 보니 19세기부터 발전한, 지금 우리가 배우고 있는 사실과 그 증명을 중심으로 역사를 서술하는 '실증주의 역사학'의 연구 방법과는 다르게 역사를 서술하고 있어 더욱 어려움이 있습니다.

하지만 이 책을 읽기도 전에 그 어려움 때문에 지레 겁먹을 필요는 없습니다. 이 책을 통해서 역사의 내용을 하나씩 다 알려고 하기보다는 이처럼 다르게 역사를 쓴 신채호 선생님의 뜻을 이해하면 되기 때문입니다. 선생님이 이 책에서 역사를 무엇이라고 했는지, 또 어떤 사료를 이용하여 역사를 서술했는지, 그가 이 책을 통해서 궁극적으로 추구하고자 한 것이 무엇이었는지를 생각하면서 읽어보길 바랍니다.

신채호 선생님은 《삼국사기》를 혹독하게 비판하였습니다. 왜 그랬을까요? 또 그는 삼국통일의 중심인물이었던 김유신 장군을 높게 평가하지 않았습니다. 왜 그랬을까요? 단재가 쓴 이 책의 내용 하나 하나에 주목하기보다는 그가 왜 그렇게 썼는지를 생각하면서 읽어본다면, 암울했던 일제 강점기 시절 그가 얼마나 우리 민족을 사랑하고, 민족의 장래를 위해 걱정했는지 그 마음을 헤아릴 수 있게 되리라 생각합니다.

이 책을 통해 여러분이 역사를 새롭게 바라보는 계기를 마련할 수 있기를 바랍니다.

독립을 향한 굳은 의지, 그리고 꼿꼿한 역사 의식

2008년 2월, 단재 신채호 선생님의 《조선상고사》 만화작업을 의뢰 받고 선생님의 묘소에 참배하러 갔습니다. 선생님의 영정이 모셔진 사당 뒤편에는 조성중인 묘소가 있었는데 신채호 선생님과 부인인 박자혜 여사의 묘소라고 했습니다.

신채호 선생님은 뤼순감옥에서 돌아가신 후 그리던 조국에 돌아 오셨지만 무국적자로 남아 편히 누울 수 있는 묘소마저도 마음대로 할 수 없었다고 합니다. 2009년에야 비로소 대한민국 국적을 회복하고 그 후손들도 독립유공자 후손의 지위를 가질 수 있었습니다. 조국의 독립을 위해 싸우다 돌아가신 많은 독립운동가들의 현실을 보는 것 같아 돌아오는 내내 가슴이 먹먹하고 아팠습니다.

성균관 박사라는 안락한 자리를 포기하고 조국의 독립을 위해 한평생 가시밭길을 걸어가신 선생님께서 들려주시는 우리의 역사를 만화로 풀어내기가 쉽지만은 않았습니다. 아마도 그 동안 제도권에서 교과서를 통해 배운 역사와는 많이 달라서일 겁니다.

이 책을 읽는 많은 분들도 저와 비슷한 느낌을 가질 수 있다는 생각을 해 봅니다. 하지만 신채호 선생님이 《조선상고사》를 집필하신 때가 일본에 나라를 빼앗긴 식민지 상태였다는 점을 감안한다면, 일제에게 허리를 굽히지 않겠다는 굳은 의지로 세수마저도 꼿꼿하게 서서 했다던 선생님의 강직함과 일제 치하에서 고통을 받

고 있는 조선의 민중들에게 독립의지를 심어주려 했던 뜻을 이해한다면 지금껏 배워왔던 역사와는 다른 시각으로 풀어낸 우리의 역사에 대한 새로운 모습을 볼 수 있을 거란 생각이 듭니다.

'서울대선정 인문고전 50선' 중 신채호 《조선상고사》 만화를 작업하는 내내 어떻게 하면 신채호 선생님의 이야기를 이해하기 쉽게 풀어낼까 많은 고민을 하였습니다. 열심히 자료도 찾아보고, 선생님께서 쓴 다른 책들도 읽어보면서 최대한 선생님의 뜻을 담을 수 있도록 작업을 했습니다만 부족하고 미흡한 부분이 있을 수 있을 거란 생각이 듭니다.

그 동안 인내를 가지고 책을 기다려 주신 모든 분들께 감사하단 말씀을 전합니다. 이 책을 단재 신채호 선생님 영전에 바칩니다.

최정규

| 차 례 |

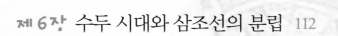

《조선상고사》를 위한 역사 교실

제1장 《조선상고사》는 어떤 책인가?

자주적 인식체계

조선상고사

김부식의 《삼국사기》나 일연의 《삼국유사》를 알고 있지?

둘 다 삼국의 역사를 한문으로 기록한 책이지만,

요즘은 읽기 쉽게 번역되거나

쉽네.

서점

삼국유사

상상력이 풍부한 만화로 꾸며져 있어 쉽게 읽어볼 수 있게 되었지.

우리나라 역사책을 많이 읽는 것은 아주 좋은 습관이니까

앞으로도 기회가 되면 열심히 읽도록 해.

역사

왜냐하면 역사책을 읽고, 역사를 아는 것은 자신의 뿌리를 이해하는 것과 같아.

만약 어느 외국인이 너희들을 중국인 또는 일본인이라고 했을 때

중국인?

일본인?

당당하게 한국 사람임을 주장할 수 있는 것은 무엇이겠니?

한국 사람!

첫째는 바로 우리 말이요,

둘째는 우리 역사라고 할 수 있어.

역사

그렇기 때문에 역사는 안다는 것은 매우 중요하다고 할 수 있지.

더구나 요즘 중국이 동북지방(흔히 만주라고 부르는 지역)의 역사를 연구한다는 프로젝트를 추진하면서

동북공정!

고구려라는 지방정권의 유적입니다.

만주 지역에 있던 우리의 고대사인 고구려와 발해의 역사를 중국의 작은 지방 정권이라고 우기는 통에,

우리나라 사람들은 많이 화가 나 있어.

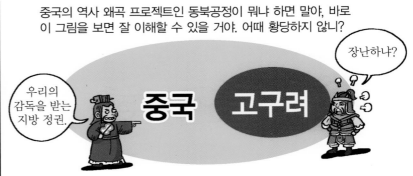

중국의 역사 왜곡 프로젝트인 동북공정이 뭐냐 하면 말야, 바로 이 그림을 보면 잘 이해할 수 있을 거야. 어때 황당하지 않니?

장난하냐?

우리의 감독을 받는 지방 정권.

중국　고구려

중국의 어떤 나라에도 뒤지지 않을 국력으로 만주를 호령하던 광개토태왕의 고구려가

중국의 작은 지방 정권이라는 것을 받아들일 수가 없잖아?

누가 그런 소리를 하는 거야?

그런데 중국은 앞으로도 자기들의 주장을 계속해 갈 기세란다.

고구려는 중국의 지방 정권

중국에는 고구려의 유적인 환인이나 집안이라는 곳이 있어.

집안

환인

이곳은 지금 유네스코 지정 세계문화유산으로 등록이 돼 있는데

UNESCO

중국이 이 유적지를 세계문화유산으로 등록하기 위해

PATRIMONIO MUNDIAL · WOLRD HERITAGE · PATRIMOINE MONDIAL

WORLD HERITAGE

정비하는 과정에서 아주 심각한 역사 왜곡이 이루어졌단다.

훌륭해……

더구나 이 지역은 지금 우리가 마음대로 갈 수 없는 다른 나라의 영토가 되어서

지금은 중국땅이야.

우리가 우리 역사를 공부하고, 연구하고 싶어도 중국의 눈치를 봐야 하는 실정이 되었어.

연구 좀….

글쎄… 한번 생각 해볼게.

일본의 역사 왜곡도 지겨운데 이제 중국까지 그러고 있으니.

잘 타는구나.

재밌네.

역사 왜곡

사람들은 이걸 두고 '동북아 역사전쟁' 이라고 해.

동북아 역사전쟁

이 전쟁에서 지면 우리의 역사를 잃어버릴지도 모르니

까불고 있어.

그러게 말야.

정신 바짝 차려야겠지.

그렇다면 중국의 주장이 틀렸다는 걸 증명할 수 있는 방법은 뭐가 있을까?

역사 왜곡

중국의 주장이 틀렸다고 소리를 크게 지를까?

속은 시원하겠지만 목청이 남아나겠니?

켁켁~

그렇다면 우리도 중국과 일본의 역사를 왜곡할까?

글쎄… 그건 아닌 것 같지?

왜냐하면 똑같이 미개한 취급을 받을 수밖에 없으니까 말야.

미개인들….

이럴 때일수록 학술과 외교 등의 여러 분야에서 중국과 일본의 잘못된 역사 왜곡을 바로 잡으려는 노력을 많이 해야겠지.

중국의 역사 왜곡.

그러기 위해서 우리가 해야 할 일은 바로 우리 역사와 주변 나라의 역사에 늘 관심을 가져야 하는 것이지.

중국과 일본의 역사

그 중에서 가장 좋은 방법은 중국의 동북공정이 시작되기 전의

동북공정

역사기록을 자세히 분석해 보는 거야.

중국의 역사책과 우리나라의 역사책을 자세히 비교해서 읽다보면

옛날 사람들이 고구려와 중국의 관계를 어떻게 생각해 왔는지를 알 수 있지.

한 대 패주고 싶어도 후환이 두려워.

친하게 지내자.

중국이 하는 거 봐서.

특히 고구려, 발해가 있던 시기의 중국 쪽 역사책이나 우리 역사책을 비교해 보면 당시 살았던 사람들의 세계관을 자세히 알 수 있어.

고구려

발해사

생각해 봐. 고구려에게 쩔쩔매던 수나라나 당나라의 역사가들이

잘 좀 해라잉?

그… 그럼요.

고구려를 자기들의 지방정권이라고 쓸 수 있었겠니?

농담으로도 그런 말 마요

그래서 중국의 역사 왜곡을 연구하는 우리나라의 학자들은

중국의 역사왜곡

중국의 조상들이 기록한 중국의 역사책과
우리나라의 역사 기록을 세밀하게 분석하고 있단다.

우리의 고대사를 왜곡하고 있는 중국인들의 조상이 고구려를
자기들에게 위협적인 국가로 서술했음을 밝혀낸다면,
저들도 할 말이 없겠지.

여기 적힌
건 뭔데?

반대로 우리나라의
역사서 중에서

고대사를 기록한 내용을 근거로

저들의 주장을 반박하면 더욱
확실하겠지?

크흑~
졌다.

현재 남아 있는 책 중에서 삼국의
역사를 처음 기록한 책이
《삼국사기》와 《삼국유사》란다.

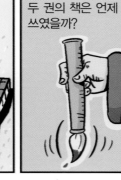

두 권의 책은 언제
쓰였을까?

혹시 '삼국' 이란 말이 들어간다고
삼국시대라고 생각하지는 않겠지?

삼국시…대.

그럼
언제죠?

이 두 권의 책은
고려 시대에 쓰였어.

고려 시대에 삼국시대의 역사를
정리하여 기록한 것은 정말
다행이지만,

당연하지.

삼국사기를 쓴 김부식이 그렇게
자주적인 사람은 아니었다는 것이
문제였어.

자주적

뛰어난 학자였고
정치가였지만

김부식은 중국 중심의 세계관을 가지고 있었고,

중국

사대적이라 부르지.

삼국 중에서는 신라를 중심에 놓고
역사를 서술했지.

말도 안 돼

고구려 신라 백제

김부식이 살고 있던 당시에도 전해지고 있었을 우리 민족의 시조인
단군에 대해서 기록하지 않은 것도 다 그런 이유가 아닐까?

왜 입장
안 시켜줘?

아, 글쎄
명단에
없다니까요.

모임안내
삼국사기
등장 인물
더녀 파티

안 내
INFORMATION

반면 스님인 일연이 쓴
《삼국유사》는

우리가 몽고의 침략을 받고 항전하다가 원의
간섭을 받았던 시기에 쓰여진 책으로

감 놔라.

배 놔라.

민족의식을 고취시키는 역할을
했다는 평가를 받고 있지.

민족의식

우리 민족의 시조신화인 단군신화를
처음으로 기록했다는 점 때문에

《삼국사기》와 비교를
하기도 한다.

신채호가 쓴 《조선상고사》의 출발점은 바로
이 《삼국사기》부터라고 할 수 있어.

이런 말도
안 되는 책이
대표적인
역사서라니!

三國史

1880년에 태어난 신채호는

우리나라가 일본에 의해서 강제로 개항이 되고

빨리 문 열어.

강화도 조약

나라를 빼앗기는 시기에 살았단다.

사람은 자신이 처한 시대 환경의 영향을 많이 받는데,

신채호는 책을 많이 읽고

빼앗긴 나라를 되찾아야 한다는 생각이 분명한 사람이어서

자신이 처한 시대에 가장 필요한 것이 바로 자신감의 회복이라고 생각했어.

자신감

더구나 신채호를 화나게 한 것은 일본인들이 일부러 우리나라의 역사를 왜곡한 사실이었어.

천황폐하 만세
조선 바보
일본부셔
임나

일본 입장에서는 조선의 역사가 초라하고 보잘 것 없어야

너무 부실해.

조선의 역사

자신들의 조선 침략이 정당화 되고

내가 관리 해 줄게.

또 강압적인 식민 통치가 합리화 되기 때문이었지.

모두 잘라 내야겠어.

예를 들면 조선은 당파싸움이 너무 심해!

아이고 지친다.

자신을 지킬 힘이 없었다든가,

일어설 힘도 없어.

아니면 전통적으로 중국에 사대*하는 마음을 가진 민족이라든가,

형님, 절 받으십쇼.

*사대(事大) – 큰 나라를 섬김.

거기에 더해서 고대에는 한반도의 남쪽에 일본의 식민지가 있었다는 내용 등이란다.

임나일본부설 (任那日本府設)

이런 일본의 역사 왜곡을 지켜보며

우리 민족도 주변 어느 민족에 비해서 뒤떨어지지 않는 찬란한 역사를 가졌다는 것을 밝혀야 해.

그래, 고대사에서 그 해답을 찾는 거야.

우리의 고대사를 기록한 《삼국사기》를 읽던 신채호는

난감하네.

이 책의 편찬을 총 책임졌던 김부식의 역사관에 화가 났어.

당신 책임이 커!

신채호는 김부식이 《삼국사기》를 편찬하면서

삼국시대의 우리 역사 중 신라의 역사를 중심으로 서술했기 때문에

고구려

신라

백제

통일 이후 발해의 역사는 빠지고 말았을 뿐만 아니라

발해

결과적으로 우리나라의 영토를 대동강 이남으로 축소시키고 말았고,

중국과의 관계를 서술할 때 무조건 우리가 중국을 큰 나라로 섬겼다는 사대 사상을 바탕으로 서술했다고 이해했어.

그렇기 때문에 독립을 추구하고 민족의 자존감을 높이는 데 《삼국사기》는 오히려 방해가 된다고 생각하였던 것이지.

신채호는 우리에게 있었던 자랑스러운 고대사를 포함해서 새로운 조선의 역사를 써야 한다고 생각하게 되었어.

신채호는 자신이 쓸 조선사에 국내에서 그가 읽었던 수많은 역사책과

중국에서 만난 중국의 역사책,

그리고 비록 나라를 잃고 망명객이 되었지만

만주지역 하면 생각나는 나라는 고구려지. 그래서 신채호가 쓴 《조선상고사》는 고구려의 역사가 중심이 된단다.

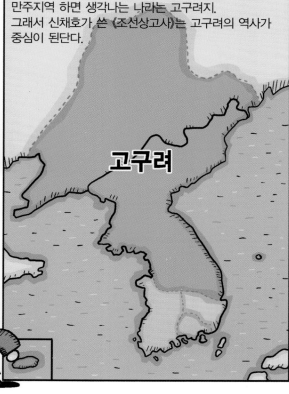

만주지역을 답사하면서 확인했던 우리 고대사의 웅대함을 담고자 했단다.

그럼 이제 이 《조선상고사》가 어떻게 쓰여졌는지 알아보자.

우리는 보통 책을 쓴다고 하면

처음부터 시작해서 마지막까지 한번에 다 쓴다고 생각하기 쉬운데

어떤 책은 그렇게 만들어지지만

또 어떤 책은 신문이나 잡지에 연재했던 글들을 모아 묶어내기도 해.

바로 《조선상고사》는 후자의 경우에 해당하는 책이야.

이 책은 신채호 선생님이 뤼순 감옥에서 수감생활을 할 때인

1931년 6월 10일부터 같은 해 10월 14일까지

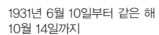

총 103회 동안 〈조선일보〉에 연재했던 내용이란다.

거의 매일 연재되었어.

제목도 '조선상고사'가 아니라 '조선사'였단다.

신채호는 우리 역사를 고대로부터 근대에 이르기까지 우리 민족의 주체적인 생각으로 재정립하려는 뜻을 가지고 있었어.

주체적인 역사서를 쓸 거야.

그래서 서론부터 시작해서 고대의 역사를 〈조선일보〉에 연재하다가

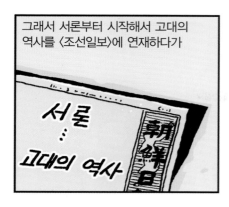

중간에 쓰러지는 바람에 더 이상 글을 쓰지 못하고

그만 뤼순 감옥에서 눈을 감고 말았지.

해방이 되고 3년 뒤인 1948년,

신채호의 원고를 〈조선일보〉에 싣도록 주선했던 안재홍이란 분은

신채호가 이 신문에 연재했던 내용을 모아서 《조선상고사》라고 하는 한 권의 책으로 엮었어.

원래 신문에 연재할 때는 '조선사'라는 제목으로 연재를 했지만

연재를 끝까지 못하고 중간에 멈추었기 때문에

이 책에는 우리나라 고대의 역사만 실리게 되었죠.

그래서 책 이름도 '조선사'가 아니라 '조선상고사'가 되었던 거야.

조선상고사 (朝鮮上古史)

상고(上古)는 아주 오래된 옛날이란 뜻이야.

자, 이제 이 책의 목차를 살펴볼까?
목차를 보면 이 책이 어떤 내용과
흐름으로 쓰여졌는지 알 수 있어.

이 책은 모두 12편으로 구성되어 있어.

목차에는
11편이
끝이잖아요.

숫자상으로는 11편까지 이지만 5편이 (1)과 (2)로
나누어져 있어서 사실상은 12편이라고 볼 수 있지.

5편 (1)   5편 (2)

고구려, 백제, 신라와 같은
익숙한 나라 이름도 있지만

백제
고구려
신라

수두시대, 삼조선 등 생소한 시대와
나라도 보이지?

수두시대
삼조선

이것에 대해서는 본문에 들어가서
좀더 자세히 살펴보도록 할게.

본문

우선 총 12편으로 이루어진 책의 목차에서
가장 많은 비중을 차지하고 있는 나라는
고구려야.

5편부터의 글들은 대부분 고구려와 관련된 내용이야.
특히 고구려가 주변 나라들과 치른 전쟁을 주제로 한 글이
많다는 것을 알 수 있단다.

다음은
누구냐?

꿀꺽.

아마 이것은 국난을 꿋꿋하게 극복했던 조상들의 역사를 통해서

신채호가 살았던 당시의 국난,

일본의 침략을 극복하고자 소망해서 그랬던 것은 아닐까?

이 책의 또 하나의 특징은 총론이 상당히 길다는 것이야.

끝이 안 보이네.

대량 총론이 전체의 분량의 1/10 정도를 차지하고 있어.

총론이란 책의 머리말이라고 볼 수 있는데

보통 머리말은 자기가 쓰고자 하는 책의 내용을 아주 간략하게 설명하는 부분이지.

열심히 만들었습니다 많이 사세요. 머리말 끝!!

그래서 한 권의 책에서 머리말이 차지하는 비중은 크지 않은데

이 책은 총론의 비중이 다른 편들의 글들이 차지하는 것과 거의 대등한 정도야.

머리말

그렇다면 총론에 무슨 내용을 썼기에 이리도 길까?

역사에 대해 하고 싶은 말이 많아서 그래.

신채호는 우리나라의 고대사를 본격적으로 서술하기 전에 자신이 역사를 보는 관점과 역사 연구 방법에 대해서 아주 자세히 설명하고 있단다.

역사를 보는 관점 역사 연구방법

우선 '역사'가 무엇인지에 대한 자신의 생각을 정리하고 그 정의를 내리고 있어.

역사란

인류사회의 아(我)와 비아(非我)의 투쟁이 시간적으로 발전하고 공간적으로 확대되는 심적 활동상태에 관한 기록이다.

또 우리나라 역사의 범위를 설명하고,

나아가 역사를 이루고 있는 요소가 무엇인지,

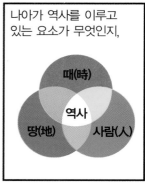

때(時)
역사
땅(地) 사람(人)

그와 동시에 당시까지 서술된 우리나라 역사서의 문제점을 조목조목 지적하고 있어.

문제점

특히 역사를 연구할 때

역사

자료를 수집하고 선택하는 관점과 방법에 대해서도 언급하고 있는데,

역사

아무리 뛰어난 역사가라고 해도

역사학의 큰 산이야.

역사학에선 최고!!

어떤 자료를, 어떤 시각으로 선택하는가에 따라

사대적

자주적

그가 쓸 역사서의 성격이 달라진다는 점을 강조하고 있지.

총론에서 가장 유명한 말은

"역사는 아(我)와 비아(非我)의 투쟁의 기록이다"

역사발전의 힘을 서로 모순되고 투쟁관계에 있는 사물들의 관계로 파악하고 있는 것이야.

역사
모순 투쟁

조금 어려운 듯하지만,

모순?

투쟁관계?

목차를 다시 보면

고구려의 발전 과정을 중국의 여러 민족, 나라와의 싸움, 즉 투쟁관계로 파악했다고 이해하면 조금 쉽지?

고구려는 아(我)이고 중국은 비아(非我)가 되겠지.

이 책의 또 다른 특징의 하나는

옛 우리 말과 이두 등을 중심으로 역사를 풀어나갔다는 점이야.

즉 우리가 지금 쓰는 말과 글자가 옛날 사람들이 쓰던 것과 다르기 때문에

내(川)

'나'

'라'

옛 사람이 쓴 글자의 음과 뜻을 알아야

제대로 된 역사를 이해할 수 있다는 주장이지.

아하, 들판!

부리…

실제로 《삼국사기》와 《삼국유사》에는

같은 이름을 서로 다르게 부르기도 하고,

김제상

박제상

심지어 같은 《삼국사기》의 기록 중에도 같은 왕의 이름이 두 가지 이상인 경우가 있는데

이런 차이는 한자를 뜻을 읽느냐, 소리로 읽느냐에 따라 다르기 때문이야.

한자의 뜻

한자의 소리

한 가지 예로 신라의 장군이면서 신라의 역사책인 《국사》를 편찬한 거칠부는 한자로 '황종(荒宗)'이라고 하는데

거칠부 님!

황종 장군님!

國史

여기서 '황(荒)'은 거칠다는 뜻이기 때문에

荒 거칠 황

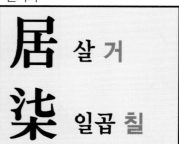

거칠부의 '거칠(居柒)'이라는 한자가

居 살 거

柒 일곱 칠

각자 가지고 있는 '살다', '일곱 번'이라는 뜻과는 관계 없이 그 소리만 따온 것이라는 말이지.

거칠부라 하오.

거칠…부? 거칠다는 뜻이군.

거칠 황(荒)을 사용하면 황종(荒宗)이군.

신채호는 우리의 고대사를 풀어가면서 이렇게 옛 말의 뜻과 소리를 구별하며 중요한 단서를 찾아 역사를 서술했는데

뜻

소리

역사

그 당시에 쓰여진 다른 책들에서는 볼 수 없는 독특한 방법이지.

내가 봐도 멋져.

역사

《조선상고사》는 읽기가 쉽지 않아.

만화작가

머리가 깨질 것 같아.

이것은 이처럼 옛 말들을 중심으로 쓰다보니까 우리에게 익숙하지 않은 말이 많아서 그렇기도 해.

옛말

이 책은 우리가 흔히 소홀히 하거나 잘 알지 못하여 넘겨버리고 마는 옛말의 뜻과 소리를 중요시하면서

뜻 소리

고구려의 역사를 중심으로 삼국 전체의 역사를 전개하고 있어.

3국의 역사

고구려 백제 신라

그러면서도 김부식의 《삼국사기》에 대해 비판적인 자세를 가지고 이 책의 잘못된 점을 조목조목 지적했는데

미워서 지적하는 건 아냐.

신채호 자신이 연구한 것을 바탕으로 김부식이 미처 못 보고

빠진 내용이나 서술이 잘못된 부분을 지적하고 있는 거란다.

흐유~흘리고 간 게 너무 많아.

또한 중국의 역사서를 열심히 읽고 분석했을 뿐만 아니라

중국 역사가들이 우리나라의 역사를 서술하면서 저지른 고의적인 실수도 비판하면서

고의적인 실수지?

실수로 그런 거야

우리의 고대사를 새롭게 쓰고 있지.

그렇기 때문에 《조선상고사》는 기존의 한국사 인식체계를 거부하고

이리 들어와.

No!!

기존의 인식체계

새로운 인식체계를 수립했다는 점에서

새로운 인식체계

역사학자들이 의미있는 평가를 내리고 있는 거란다.

그렇다면 무엇이 새로운 인식 체계일까?

인식체계란 역사를 이해하는 방법을 의미하는데

인식체계

역사를 이해하는 방법.

신채호 이전의 학자들은 우리 역사가 단군조선 → 기자조선 → 삼한 → 삼국으로 이어져 왔다고 보았어.

기존의 인식체계.

| 단군조선 |
| 기자조선 |
| 삼 한 |
| 삼국시대 |

물론 학자에 따라서 조금씩 다르긴 하지만 조선 후기에는 위와 같은 흐름으로 우리 역사를 이해하는 것이 주류였어.

이와 같은 인식체계를 '삼한 정통론'이라고 해.

내가 세운 인식체계야.

성호 이익

즉, 우리나라 역사는 단군에서 시작하여 삼한으로 이어졌고 삼국을 통해 전개되었다는 것이지.

단군

삼한

삼국

삼한 정통론은 우리 역사의 뼈대를 세웠다는 점에서 매우 중요한 의미를 가지고 있지만

역사

한편으로는 문제점도 있어.

중국 중심의 역사관.

중국의 옛 기록을 보면 중국의 기자라는 사람이 조선의 왕이 되었다는 내용이 있어.

기자 조선

사실 지금은 기자조선을 인정하지 않고 있단다.

하지만 조선 시대의 학자들은 중국 사람이 우리나라 왕이 되었다는 사실을 무척이나 자랑스럽게 생각했단다.

이 얼마나 영광스러운 일입니까?

자랑으로 여겨야지요.

그럼요~

뿌듯

당시 학자들은 중국이 세상의 중심이자 문명국이고
그 외의 나라들은 미개한 오랑캐라고 여겼었는데

쯧쯧쯧.

미개한 오랑캐들 같으니라고….

중국 사람들이 우리를 다스렸으니 중국과 같은
문명국이 되었다고 생각했기 때문이었지.

우린 오랑캐가 아니죠?

기자조선

그렇다면 조선 시대 학자들은 왜 기자조선 이후에 우리
역사가 부여나 고구려로 이어지지 않고 삼한으로
이어졌다고 보았을까?

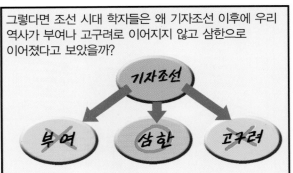

기자조선

부여   삼한   고구려

그것은 위만이 고조선, 다시 말하자면 기자조선의
왕이었던 준왕을 내몰고 왕이 되었기 때문이야.

이제부터 이 '위만'이 왕이다.

남쪽으로 가서 나라를 세울 거야.

그러니까 위만이 세운
위만조선은

위만조선

문명국이었던 기자조선을 무너뜨린 오랑캐에
불과하다고 생각했어.

저런 무례한

오랑캐의 정통성을
인정 못 해.

대신 준왕이 한강 이남으로 내려가 세운
삼한을 정통성이 있는 국가로 인정했지.

정통성을 이어받은

삼한이 진정한 역사입니다.

이 삼한 정통론은 역사의 정통성을
중국에 두고 있기 때문에

중 국

삼한정통론

우리 역사를 자주적으로
이해했다고 보기는
어렵지.

자주성

신채호는 바로 이와 같은 역사 인식을 버리고

우리 역사를 자주적으로 파악할 수 있는 새로운 체계를 제시하였던 거야.

우리밀 100%

자주적인 맛!!

인식 체계면

신채호가 제시한 우리 역사의 인식 체계는 어떤 것이었을까?

신채호는 우리 역사의 정통성이 대단군조선 → 고조선 → 부여 → 고구려로 이어졌다고 보았어.

대단군조선 | 고조선 | 부여 | 고구려

삼한 정통론과는 전혀 다르게 삼한이 빠지고 만주 대륙에서 크게 융성하였던 부여와 고구려가 역사의 정통성을 잇고 있지.

만주 근처에 가 보지도 못한 게 어디서…

엉엉

다시 총론으로 되돌아 가 볼까?

'역사는 아(我)와 비아(非我)의 투쟁의 기록이다'

우리나라의 역사는 우리의 비아(非我)인 중국과의 투쟁을 통해서 형성되었다는

아뵤~

이크~ 애크~

그의 생각이 바로 이 새로운 역사 인식체계에 반영되어 있다고 볼 수 있어.

이 두 가지 인식체계 중 어느 것이 더 익숙하니?

당연히 우리의 입맛에 길들여졌지.

기존의 인식 체계

새로운 인식 체계

사실 현재의 우리도 신채호의 역사 인식체계보다는 그 이전의 것에 익숙해져 있다고 보는 것이 옳을 거야.

수입밀가루

우리밀 100%

인식 체계면

과거 자기 민족의 역사를 근거 없이 대단한 것으로 미화하는 것도 옳지 않지만,

우리나라가 무조건 최고!! 최고! 최고! 최고!

우리의 자랑스러웠던 역사를 외면하는 것도 옳지 않아.

자랑스러운 역사

그런 점에서 신채호의 《조선상고사》를 읽다보면

신채호가 왜 이와 같은 체계를 세웠으며,

새로운 인식 체계

왜 김부식의 《삼국사기》를 비판했는지 알 수 있을 거야.

또 그가 이 책을 통해서 단순히 역사를 새롭게 쓰고자 한 것이 아니라

나라를 잃어버린 식민지의 힘없는 역사가로서

독립을 간절히 염원하면서

우리의 과거 역사를 통해 얼마나 힘을 얻으려고 노력했는지 조금이나마 느껴볼 수 있을 거야.

다음 장에서는 단재 신채호 선생의 일생에 대해 얘기해 볼게.

제2장

신채호는 누구인가?

우리나라 역사에서 가장 불행한 시절은 언제였을까?

많은 사람들이 일본에게 나라를 빼앗겼던 일제강점기(1910~1945)라고 생각하고 있어.

우리 민족의 암흑기라고 할 수 있지.

앞이 안 보여.

그 어두운 시절이 다시 온다면 여러분은 어떻게 살까?

어쩔 수 없으니 조용히 눈치를 보면서 살까?

뭘 봐?

아니면 나부터 살고 보자고 수단과 방법을 가리지 않고 일제에 협조할까?

그도 아니면 빼앗긴 나라를 되찾기 위해 독립운동을 할까?

그래, 모두들 독립운동을 할 거라고 생각해.

하지만 실제 일제 강점기에는

일본에 무조건 협조하며

자기 욕심을 채운 사람들이 무척 많았어.

친일파들은 나라를 판 대가로

많은 돈과 땅을 차지하고,

독립운동을 하는 사람들을 핍박했지.

한 술 더 떠서 그들은 거의 일본인에게 동화되어

일본인처럼 살았어.

그러면 해방이 된 후 이 친일파들이 모두 짐을 싸서 도망을 갔을까?

천만에! 그들은 발빠르게 우리나라에 들어 온 미국 세력과 손을 잡고

친일에 대한 대가를 치르기는커녕 그 권력과 재산을 그대로 유지했어.

어떤 사람들은 스스로 독립운동가처럼 행세하면서

훈장까지 받았지.

이런 사람들의 후손은 지금도 우리나라에서 떵떵거리며 잘 살고 있어.

게다가 나라에서 환수한 친일파 조상들의 재산을 돌려달라고 소송도 하고 있고 말야.

조상님 땅 돌려 줘.

너무 뻔뻔스럽지?

그렇기에 신채호 선생님의 일생이 더욱 고귀하고 값지게 여겨지는 거야.

그러면 신채호 선생님의 삶은 어떠했을까?

1936년 2월 21일 오후, 랴오둥반도 끝에 있는 다롄의 뤼순 감옥.

다롄

죄수 번호 411번, 작은 체구의 조선인이 쓸쓸히 최후를 맞고 있었어.

1930년부터 6년이나 감옥생활을 했고 출옥이 얼마 안 남은 상황이기에 그의 죽음은 더욱 안타까웠단다.

1930 1936

이것이 바로 신채호 선생님의 최후 모습이지.

그렇다면 무슨 사연이 있기에 조선인 신채호가 머나먼 이국인 중국의 감옥에서 쓸쓸하게 최후를 맞아야 했던 걸까?

뤼순 감옥은 1904년 러·일전쟁에서 승리한 일본이 차지한 곳인데

뤼순 감옥은 이제부터 우리 것이야.

우리나라 독립운동가들을 잡아 가두고 고문한 곳으로 유명해.

이토 히로부미를 사살한 안중근 의사도 1910년 이곳에서 생을 마감했지.

자, 그럼 신채호 선생님께서 이곳에서 생을 마치기까지의 삶을 찾아가 보자.

1880년 12월 8일, 충청남도 대덕군 산내면

시골 가난한 양반집에 한 아이가 태어났어.

응애

비록 망해 버린 양반 집안이었지만 신채호의 집안은 뼈대 있는 가문이었어.

어헴!!

그는 조선 시대 영의정을 지낸 신숙주의 18대손으로 태어났단다.

신숙주는 세종대왕 당시 한글을 창제할 때 크게 기여한 뛰어난 학자였는데,

아주 좋아!

세조가 어린 단종을 몰아내고 왕위를 빼앗을 때 사육신을 배반하고 세조를 도왔던 사람이지.

끌어내!

녹두를 콩나물처럼 키운 것을 '숙주나물'이라고 하는데 신숙주가 사육신을 배신한 것처럼 잘 쉰다고 해서 붙여진 이름이라는 이야기가 있기도 하지.

숙주나물 맛이 이상해.

벌써 변했나?

이처럼 신채호의 18대 할아버지는 아주 잘나가는 조선의 양반이었지만,

신채호가 태어날 무렵에는 집안이 몰락하여 충청도 고두미라는 시골에서 살고 있었단다.

따라서 신채호의 어린 시절은 꽤 어려웠지.

나까지 굶어 죽겠어.

굶는 날이 많았을 뿐만 아니라

먹어도 배고파.

먹을 것이 있는 날이라고 해봐야 콩과 보릿가루에 쑥을 넣어 만든 죽이 전부였어.

그래서인지 훗날 중국에서 망명생활을 할 때도 콩죽을 먹지 않았다고 하는구나.

콩죽 좀 쒔어요.

속이 안 좋아….

어린 신채호가 감당해야 할 삶의 무게는 무거웠지만, 그의 눈은 늘 반짝였다고 해.

유학자였던 할아버지 아래서 어린 시절을 보낸 그는 할아버지 방에 있는 책을 열심히 읽고 또 읽었지.

자왈, 학이시습지면 불역열호*라.

*학이시습지 불역열호(學而時習之 不亦說乎)− 배우고 때때로 익히면 또한 기쁘지 아니한가? 《논어(論語)》 학이(學而) 편 중.

하루는 써레와 쟁기를 지고 나가는 할아버지의 모습을 보고

다음과 같이 한시를 지었대.

朝出負而氏(조출부이씨)
이른 아침에 써레와 쟁기를 지고 나가네.

論去地多起 (논거지 다기)
논을 가니 흙이 많이도 일어나네.

조금 이해가 안 될 수도 있으니까 뜻풀이를 해 볼게.

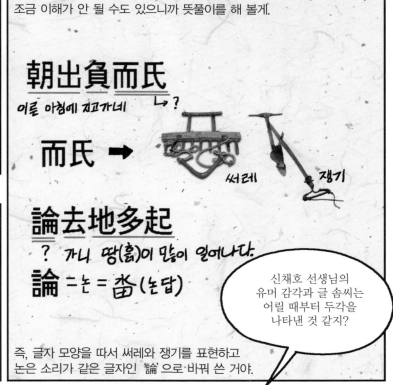

朝出負而氏
이른 아침에 지고가네   ↳?

而氏 ➡   써레   쟁기

論去地多起
? 가니 땅(흙)이 많이 일어나다.
論 = 논 = 畓(논답)

신채호 선생님의 유머 감각과 글 솜씨는 어릴 때부터 두각을 나타낸 것 같지?

즉, 글자 모양을 따서 써레와 쟁기를 표현하고 논은 소리가 같은 글자인 '論'으로 바꿔 쓴 거야.

하지만 어려운 환경 탓에 신채호의 학구열을 채워줄 수 없게 되자,

책.... 책을....

할아버지는 신채호를 데리고 목천의 신기선 대감 집을 방문하였어.

마음대로 책을 봐도 좋다는 신 대감의 말에

신채호는 그 자리에서 미친 듯이 책을 읽기 시작했어.

책의 바다에 빠진 것 같아.

그런 신채호를 바라보던 신 대감은

필요하면 언제라도 책을 봐도 좋다.

그후 신채호는 시간이 날 때마다 그곳에 들러

고두미에서 목천까지는 꼬박 하루가 걸리는 거리야.

마치 굶주린 맹수가 먹이를 먹듯 책을 읽었지.

이런 신채호를 기특하게 여긴 신 대감은

1898년 신채호를 조선 최고의 교육기관인 성균관에 입학할 수 있도록 도와주었어.

성균관에 입학한 신채호는 한동안 입을 다물지 못 했어.

지금까지 구경도 못 했던 책들이 이렇게 많다니.

특히 신채호는 이곳에서 신학문과 관련된 책들을 많이 접할 수 있었어.

신학문은 서양의 학문을 말하지.

당시 성균관에는 청나라를 통해 신학문에 관련된 책들이 많이 들어와 있었어.

새 책 왔다해.

수입서적 전문

신채호는 이 책들을 읽으면서 점점 세상을 보는 시야가 넓어졌어.

또한 그는 시간이 날 때마다 종로의 서점을 돌아다니면서 신학문 책과 역사책을 읽었어.

셔점○

공부를 열심히 하는 것도 중요하지만 어떤 공부를 하느냐도 중요하단다.

한학 신학문

만약 신채호가 시골에서 할아버지가 공부했던 책만 열심히 읽었다면

子曰

유명한 유학자나 한학자는 되었을지 몰라도

유세차….

우리가 알고 있는 언론인, 역사학자, 독립운동가가 되기는 어렵지 않았을까?

어떤 명함으로 드릴까요?

독립운동가 단재 신채호 역사학자 신채호

만일 그랬다면 우리가 살펴 볼 《조선상고사》도 나올 수 없었겠지.

朝鮮上古史

조선 시대의 양반들은 어른이 되면 어렸을 때 부르던 이름 대신 새로운 이름을 짓게 되는데 그걸 호(號)라고 하지.

호가 무엇인고?

예, 퇴계라 하옵니다.

신채호도 성균관에 있을 당시 '일편단심(一片丹心)'에서 '단(丹)' 자를 따서 '단재(丹齋)'라고 부르기로 했어.

丹 齋

성균관에서 공부를 시작한 1898년은 신채호에게는 새로운 학문을 마음껏 접할 수 있는 행운의 해였지만, 나라 사정은 그렇지 못했단다.

앞이 보이지 않아.

3년 전인 1895년에 국모인 명성황후가 일본인들에 무참히 살해당한 을미사변이 있었고,

1896년에는 일본의 압력을 피해 고종이 러시아 공사관으로 숙소를 옮긴 아관파천이 있었어.

싫어. 안 나갈래.

이리 나왓!!

또한 러시아와 일본이 조선을 놓고 힘겨루기를 하는 상황에서

미국, 영국, 프랑스 등은 돈이 될 만한 목재, 금광, 철도 등을 헐값으로 빼가고 있었지.

용돈이야. 아껴 써.

이걸로 뭘 하라고….

프랑스 경의선 부설권

영국 광산 채굴권

미국 금광 채굴권

조선상고사

3년간의 성균관 공부를 마치고 잠시 고향에서 학생들을 가르치던 신채호는

문동학원

1905년 성균관에서 시험을 보고 박사가 되었어.

박사

박사가 된다는 것은 성균관에서 교수로 직업을 가질 수 있는 기회를 갖게 된 것이야.

하지만 신채호는 이 교수직을 포기하고 다시 시골로 내려갔어.

나라가 위태로운 마당에 교수보다는 후학 양성이 더 의미가 있어.

이때 신채호는 상투를 자르게 돼.

애국을 위해서라면 머리카락쯤은 아깝지 않아.

그 후 '산동학당'이라는 학교를 세워 젊은이를 가르치던 중

山東學堂

〈황성신문〉의 사장 장지연이 찾아와서

皇城新聞 사장: 장지연

신채호에게 논설을 써 줄 것을 부탁했는데

그의 부탁을 받고 바로 서울로 올라갔지.

天下大將軍

〈황성신문〉은 우리나라 최초의 민간신문이던 〈독립신문〉이 폐간된 뒤에 장안의 여론을 주도하던 신문으로

이제는 내가 여론의 중심이야.

폐간

皇城新聞

당시 조선을 대표하는 최고의 필진으로 구성되어 있었는데 신채호도 그 대열에 들어가게 되었어.

남궁억 유근 박은식 장지연 나수연

이제 성균관 학생, 박사가 아니라 언론인 신채호로 다시 태어난 것이지.

신채호가 황성신문사에 근무하기 시작한 1905년은

新 皇城

신채호

우리 역사에서 아주 불행한 해이기도 해.

역사

일본이 러·일전쟁에서 승리하고 조선의 외교권을 강제로 빼앗은 사건인 '을사조약'이 일어난 해가 1905년이야.

빨리 도장 찍어.

당시 임금이었던 고종은 끝까지 도장을 찍지 않았기 때문에

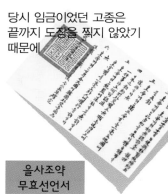

을사조약 무효선언서

많은 사람들은 '조약'이라고 부르지 않고 '늑약(勒約)'이라고 부르지.

조약(條約)

늑약(勒約)

찍고 맞을래 맞고 찍을래?

'조약'보다 발음하기 어렵지만 협박을 하여 강제로 맺은 조약이기 때문에 '늑약'이라고 부르는 것이 맞아.

이처럼 나라의 주권을 빼앗기는 일이 일어나자

이만큼만 가져.

주권

당시 〈황성신문〉을 발간하던 장지연은 국민들에게 이 소식을 전해야 한다는 사명감으로 '시일야방성대곡(是日也放聲大哭)'이라는 논설을 썼는데

이 날에 목놓아 통곡하노라.

x

당시 조선을 대표하는 최고의 필진으로 구성되어 있었는데 신채호도 그 대열에 들어가게 되었어.

남궁억 유근 박은식 장지연 나수연

이제 성균관 학생, 박사가 아니라 언론인 신채호로 다시 태어난 것이지.

신채호가 황성신문사에 근무하기 시작한 1905년은

우리 역사에서 아주 불행한 해이기도 해.

일본이 러·일전쟁에서 승리하고 조선의 외교권을 강제로 빼앗은 사건인 '을사조약'이 일어난 해가 1905년이야.

당시 임금이었던 고종은 끝까지 도장을 찍지 않았기 때문에

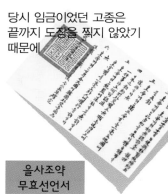

을사조약 무효선언서

많은 사람들은 '조약'이라고 부르지 않고 '늑약(勒約)'이라고 부르지.

'조약'보다 발음하기 어렵지만 협박을 하여 강제로 맺은 조약이기 때문에 '늑약'이라고 부르는 것이 맞아.

이처럼 나라의 주권을 빼앗기는 일이 일어나자

당시 〈황성신문〉을 발간하던 장지연은 국민들에게 이 소식을 전해야 한다는 사명감으로 '시일야방성대곡(是日也放聲大哭)'이라는 논설을 썼는데

44 조선상고사

이 사건으로 〈황성신문〉은 일본에 의해

다음해인 1910년 9월 폐간되고 말았어.

언론인으로서 마음 놓고 글을 쓰고자 했던 신채호에게는 위기가 닥쳐온 셈이지.

그런데 이렇게 실의에 빠진 신채호에게 양기탁이란 분이 찾아와서

영국인 베델(Bethell)이 운영하는

〈대한매일신보〉로 자리를 옮겨 언론활동을 계속할 것을 제안했지.

이 신문사는 발행인이 영국인이기 때문에 일본도 외교마찰을 우려해 함부로 할 수 없는 곳이었어.

꼽냐?

어휴, 저걸 그냥….

일본의 눈치를 보지 않고 하고 싶은 말을 마음껏 할 수 있는 조건을 가진 〈대한매일신보〉는

신채호의 울분을 달래고,

친일파들을 질타하면서

일본의 충견들……

일본을 비판할 수 있는 좋은 조건을 가진 신문사였지.

이 시기에 신채호가 신문과 각종 잡지에 쓴 글을 잠깐 살펴보면

친일파를 비판하는 글,

일본의 3대 충노(忠奴) 한일합병론자에게 고함

역사를 통해 애국심을 높이려는 글,

독사신론, 역사와 애국심과의 관계

외침을 막고 독립을 이룩한 국내외의 위인과 여러 사건에 관한 글들이 있어.

을지문덕전
이태리 건국 삼 걸전

이런 글들이 실리고 있었으니 일본이 〈대한매일신보〉와 신채호를 비롯한 조선의 논객들을 얼마나 미워했겠니?

민족 자존!

결국 일본은 이런저런 핑계를 만들어.

신문지법(新聞紙法)
내국에서 외국인이 발행하는 신문과 외국에서 한국인이 발행하는 신문을 압수 및 판매금지 할 수 있다.

〈대한매일신보〉 사장인 영국인 베델과 총무였던 양기탁 선생을 감옥에 보내고

영국 사람 만함(A.W.Marnham)이 새로운 사장이 된단다.

A.W.Marnham

그런데 만함은 베델과는 다른 사람이었어.

나는야 사업가.

영국 총영사가 만함에게 신문사를 통감부에 팔아 넘길 것을 권유하자,

좋소.

값은 잘 쳐준대.

이 사람이 1910년 5월 27일, 〈대한매일신보〉를 몰래 팔아 버렸지.

그러자 어제까지 일본에게 가장 비판적이었던 신문은

하루 아침에 일본을 찬양하는 신문이 되어 버리고 말았어.

그러자 신채호 선생은 미련 없이 사표를 쓰고 신문사를 떠났지.

이후 신채호는 기울어져 가는 나라를 바라보며

결국은 망명의 길을 결심하고 러시아의 연해주로 떠났어.

이때 그의 첫 번째 부인과는 영영 헤어지게 되는데,

살던 집을 정리한 돈으로 땅을 사서 모두 부인에게 주고 떠났지.

이 걸로 새출발하시오.

신채호는 열여섯 살이던 1895년 어른들이 맺어준 이 여인과 결혼을 했지만

그리 행복하지 않았던 것 같아.

14년을 함께 살며 관일이라는 아이도 두었지만,

이 아이는 어린 나이에 죽었고 결국 부인과도 헤어진 거야.

신채호는 러시아로 망명을 떠나는 길에

평안도 정주의 오산학교에서 보름 정도 쉬어 갔는데,

푹 쉬었다 가시오.

고암 조만식

그때 아주 유명한 일화를 남겼어.

세숫물 고맙다.

신채호는 세수를 할 때 허리를 굽히지 않은 것으로 유명했거든.

허걱!!

일본에게 나라를 빼앗긴 상황에서

허리를 굽힌다는 것은 그들에게 굴복하는 것이라 생각했나 봐.

그 후 러시아에 1년 정도 머물면서 〈권업신문〉을 창간해 언론활동을 하기도 했지만,

勸業新聞

다음해에 중국 상하이로 떠났어.

상하이

나라 잃은 국민으로서 망명생활을 하는 처지에 여유로울 수는 없었겠지만

특히나 신채호의 망명생활은 가난과 질병의 연속이었어.

상하이에서 만난 신규식 선생이 신채호를 보고 크게 놀랄 정도였으니 말야.

단재… 어쩌다 이렇게 됐소?

그래도 상하이에서의 생활은 함께 할 수 있는 사람이 많아서 나름대로 행복했다고 해.

그래서….

특히 이 시기에 신채호에게는 꿈과 같은 기회가 찾아오는데

초 청 장

윤세복

우리나라 고대사의 유적지를 답사할 기회를 갖게 된 거야.

드디어 꿈에 그리던 역사의 현장을 보게 되는군.

빨리 짐을 꾸리자.

1914년 윤세복의 초청으로 서간도 지안에 머물렀는데,

지안(집안)

이곳은 고구려가 평양으로 수도를 옮기기 전까지 고구려의 중심지로 광개토태왕까지의 고구려 유물과 유적이 그대로 남아 있는 곳이었어.

이런 상황 속에서 신채호의 마음에 분노를 일으킨 사람이 하나 있었어.

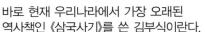

바로 현재 우리나라에서 가장 오래된 역사책인 《삼국사기》를 쓴 김부식이란다.

三國史

신채호는 김부식이 《삼국사기》를 쓸 때

만주 지역의 역사를 포함시키지 않았기 때문에

그 넓은 땅과 자랑스러운 역사를 모두 잃어버렸다고 생각했어.

고구려의 유적이 남아 있는 집안현을 한번 돌아보는 것이 김부식의 '고구려사'를 만 번 읽는 것보다 낫다.

집안현을 둘러보면서 잃어버린 고대사를 목격한 신채호는 중국의 심장부 베이징으로 가기로 결심했어.

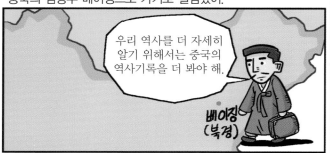

우리 역사를 더 자세히 알기 위해서는 중국의 역사기록을 더 봐야 해.

베이징 (북경)

신채호는 중국 최고의 대학인 베이징대학 도서관에서 오랜만에 독서에 대한 갈증을 채우기 시작했어.

중국은 1911년 신해혁명으로 청나라가 망하고 중화민국이 건국된 후

쑨원   위안스카이

새로운 활력에 넘쳤던 시기였기 때문에

신채호는 마음껏 책을 읽으면서 우리나라 역사를 바로 쓸 준비를 하고 있었던 거지.

이때 신채호는 우리나라의 역사를 김부식과는 다르게, 어떻게 쓸 것인가를 고민하면서 틀을 잡았어.

역사의 틀

조선에서 봤던 책과 고구려 유적을 답사한 경험, 거기에 중국의 기록을 세밀하게 분석해서 《조선상고사》의 원고가 탄생하게 된 거야.

  조선상고사

이 시절 신채호는 〈중화신보〉라는 중국 신문에 글을 쓰고 있었는데,

어느 날 화가 난 신채호는 더 이상 글을 보내지 않았어.

이게 뭐야?!

연재를 중단하겠소

깜짝 놀란 신문사 사장이 신채호를 찾아와 묻자

무슨 이유냐 해?

선생은 그가 쓴 글 중에 한 글자가 빠져 있었다는 거야.

矣(의)자가 빠졌잖소?

이 글자는 특별한 뜻이 없이 문장을 마칠 때 쓰는 글자로 '어조사' 라고 하는데,

어조사가 없어도 뜻을 전하는 데는 큰 문제가 없잖소 해.

그래도 내 글을 맘대로 손질하는 신문사에는 원고를 줄 수 없소.

몸은 비록 베이징대학에 있었지만 그의 관심은 항상 빼앗긴 조국에 가 있었어.

조국의 독립을 이뤄야 할 텐데

1919년 3.1 운동이 일어나고

상하이에 대한민국 임시정부가 들어서자 신채호도 베이징 생활을 정리하고 다시 상하이로 갔단다.

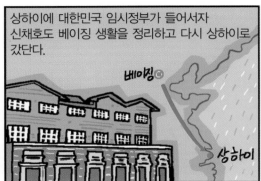

베이징

상하이

왜냐하면 당시에는 그 어느 때보다 많은 사람들이 독립에 대한 기대를 갖고 상하이로 모여들었기 때문이야.

하지만 그곳에서 신채호의 기대는 채워지지 못 했단다.

무장 투쟁을 통해 독립을 쟁취하자!

독립보다는 미국을 중심으로 한 국제 사회가 조선을 일본 대신 다스려야 해.

결국 신채호 선생은 임시정부를 떠나고 말았어.

독립운동의 방법에 대한 갈등을 겪은 신채호는

여기는 내 자리가 아냐

미련 없이 상하이를 떠나 다시 베이징으로 돌아왔어.

베이징

상하이

이때 베이징에 공부하러 온 박자혜를 만나 두 번째 결혼을 했어.

당신의 뜻을 존중하며 평생 함께 할게요.

이후 신채호는 베이징의 젊은 조선인 학생들과 함께 대한독립청년단이란 조직을 만들고,

대한독립청년단

〈천고〉라는 잡지를 만들어 한국의 독립 의지와 역사를 중국인들에게 알리기 시작했지.

天鼓
CHŎNKO

그의 글은 사람의 가슴을 울리는 묘한 매력이 있었다고 해.

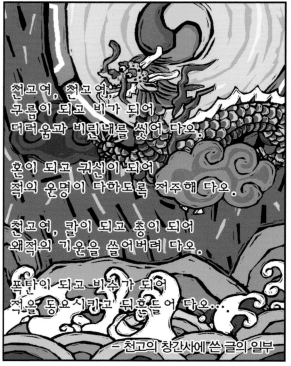

천고여, 천고여,
구름이 되고 비가 되어
더러움과 비린내를 씻어 다오.

혼이 되고 귀신이 되어
적의 운명이 다하도록 저주해 다오.

천고여, 칼이 되고 총이 되어
왜적의 기운을 쓸어버려 다오.

폭탄이 되고 비수가 되어
적을 동요시키고 뒤흔들어 다오...

— 천고의 창간사에 쓴 글의 일부

1922년 의열단 단장인 김원봉이 신채호를 찾아 왔어.

의열단은 3·1 운동 후에 친일파와 일본의 총독부 관리를 살해, 일본의 식민통치 기관을 폭파시키려는 목적으로 만들어진 조직이지.

국사교과서에 의열단원들의 투쟁성과가 기록된 정도니까 대단한 조직이었겠지.

의열단과 한인 애국단의 활동

단장인 김원봉은 의열단원들이 투쟁하면서

지침으로 삼았으면 하는 무언가가 있었으면 하는 생각을 한 거지.

투쟁

친일파들과 조선 총독부 관리들이 벌벌 떨 정도의 테러를 하면서도 왜 그런 일을 하는지를 밝혀 주지 않으면 단순한 테러로 오해를 받을 수 있었거든.

의열단인지 뭔지 하는 깡패 집단은 도대체 뭐하는 곳이야?

신채호는 자신이 원하는 독립운동의 방법과 같은 노선을 택한 의열단원들을 위해 글을 쓰게 되는데 그게 바로 유명한 '조선혁명선언' 이란다.

굿!!

강도 일본이 우리 국토를 없이 하며 우리의 정권을 빼앗으며 우리의 생존에 대한 필요조건을 다 박탈하였다. 경제의 생명인 산림, 천택*, 철도, 광산, 어장... 내지 소공업 원료까지 다 빼앗아 일체의 생산 기능을 칼로 베며 도끼로 끊고....

*천택 – 하천과 토지.

이 글을 쓰면서 신채호는 이런 생각을 했다는구나.

지금까지는 역사의 중심에 '우리 민족'을 두고 있었는데.

독립 운동을 하면서 얻은 교훈은 역사의 중심, 투쟁의 중심은 가진 것 없고 보살핌 받지 못 했던 백성들, 즉 민중들이다.

역사의 중심에는 민중이 있다.

역사
민중

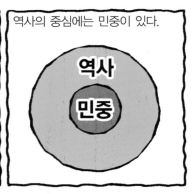

두 번째 결혼에서 신채호는 수범이란 아기도 얻었어.

그런데 망명생활은 가족과 함께 살 수 있는 조건이 안 돼서

결국 신채호는 아내와 아들을 조선으로 돌려보내고 혼자 남았지.

사랑하는 아내와 아들을 떠나보낸 신채호는 참고 또 참으며 다시 베이징대학 도서관에서 공부를 시작했어.

내가 할 수 있는 최선의 독립운동은 우리나라 역사를 바로 쓰는 것이야!

그동안 작업해 왔던 조선사 연구를 마무리하여

1924년 《조선상고사》의 총론을 집필하게 되었지.

조선상고사 총론

단순한 조선의 역사가 아니라 그동안 신채호가 공부하고 답사하고 연구하고 독립운동을 하면서

답사
헛!
파!!
독립운동
연구

역사의 주인이 누구인지, 역사를 움직이는 힘이 무엇인지에 대한 자신의 생각을 담은 책을 완성한 거야.

氣!!

신채호는 이 시기에 먹고 사는 문제를 해결하기 위해 관음사란 절에서 스님 생활을 하기도 해.

그런 와중에도 조선의 가족에게 도움을 주기 위해 베이징에서 쓴 논문을 〈동아일보〉에 연재하면서 원고료는 모두 가족에게 생계비로 전했어.

이때 신채호가 심취했던 사상이 '무정부주의'란다.

아나키즘
(anarchism)

무정부주의란 글자 그대로 해석하면 '정부가 필요하지 않다.' 는 것이지만

꼭 그것만을 의미하는 것은 아니야.

정부

당시의 세계는 힘 있는 강대국이 약소국을 침범하여 수탈하고 있었는데

이 약소국들이 독립하기 위해서는

국가의 구분을 떠나 공동으로 대응하는 것이 필요하며,

힘을 합쳐

싸우자.

때문에 각자가 싸우는 것만큼이나 서로 협조하는 것이 중요하다는 거지.

또한 개인에게 중요한 것은 자유이고 이 자유는 권력이나 국가에 의해서 간섭받지 않아야 한다는 주장이란다.

권력

일본을 상대로 독립운동을 하면서 신채호는 독립의 문제가 우리 민족의 문제만은 아니라고 생각했던 거지.

더 많은 연대가 필요해!

식민 지배를 받고 있는 사람들과의
연대뿐만 아니라

지배를 하고 있는 나라의 국민들 중에서도 식민 지배가 옳지 않다고
생각하는 사람들과 힘을 합쳐 싸워야 한다고 생각한 것이었어.

옳지
않아.

1927년 신채호는 중국에 와 있던 일본, 타이완, 인도, 베트남의
무정부주의자들과 함께 '무정부주의 동방연맹' 이란 단체를 만들었어.

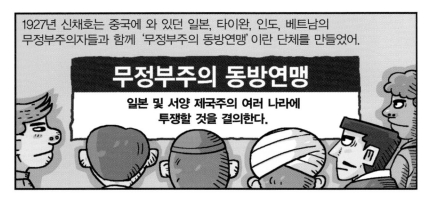

무정부주의 동방연맹

일본 및 서양 제국주의 여러 나라에
투쟁할 것을 결의한다.

그런데 무슨 일을 하든지 돈이
필요하잖아.

그들은 이 자금을 마련하기
위해 계획을 세웠어.

타이완 사람 중에 우체국에
근무하는 사람이 있었는데,
그 사람이 서류를 위조해서

린팡원

큰 돈을 여러 국가의 우체국에 나눠서 보내면
조직원들이 각각 그곳에 가서 찾아오는
계획이었지.

이때 신채호는 타이완으로 가서
돈을 찾아오기로 되어 있었어.

중국인
유병택으로
변장.

그런데 불행히도 사전에
이 계획을 알아차린 일본이

경찰을 미리 보내 잠복하고 있다가
신채호 선생을 체포하고 말았어.

기롱항
(基隆港)

꼼짝 마!

신채호는 다음 해인 1929년 10월 3일, 첫 재판을 받았어.

피고의 행위가 잘못됐다고 생각하지 않나?

전해지는 이야기에 의하면 이때 신채호는 당당하게 재판을 받았다는구나.

이 시기 독립 운동가들은 재판을 받을 때 모두 당당하게 자기의 주장을 폈던 것으로 유명해.

한 점 부끄럼이 없소.

이토 히로부미를 암살했던 안중근도 그랬잖아!

나는 의병 참모총장으로서 적군인 이토를 죽였으므로 전쟁 포로로 대우하라.

신채호는 그곳에서 10년형을 선고받고 복역하였는데

징역 10년

1936년 2월 21일 뇌일혈이란 병으로 그만 쓰러지고 말았어.

일본은 신채호가 감옥에서 죽을 경우 여론이 나빠질 것을 우려하여

그를 병보석으로 놓아 주려고 했지만

친척 중에 친일 인물을 보증인으로 세우면 풀어주지.

신채호는 이 제안을 단호하게 거절했어.

No!!

비록 감옥에서 최후를 맞을지언정 친일 인물의 보증 따위는 생각지도 않는다.

역신 '일편단심'에서 유래한 '단재'를 호로 쓰고 있는 신채호다운 태도지.

丹齋

그의
대쪽 같은
성품을
보여주는
일화가
또 하나
있는데

바로 당시 〈조선일보〉에 연재하고 있던
'조선상고문화사'의 연재를 스스로 끊었던
일이야.

원고 좀….

싫어.
안 줘!

당시 이 신문 연재는 조선에
있는 가족들의 살림에 많은
도움을 주었는데 왜 끊었을까?

이 시기의 〈조선일보〉는
변절을 해서

일본식 연호를 쓰고
있었기 때문이야.

昭和 7年
(소화 7년)
↓
1932년

일본에 대항해서 지금까지 싸워온 신채호로서는

헛!

합!

일본의 침략정책에 단호히
저항하지 않는 신문에

나는
독립운동가가
아니라
사업가라구.

더 이상 글을 쓰고 싶지 않았던
거지.

가족의 생계보다 더 중요한 것을
신념이라 생각한 신채호는

신념
1

가족의
생계
2

결국
1936년 2월 21일,

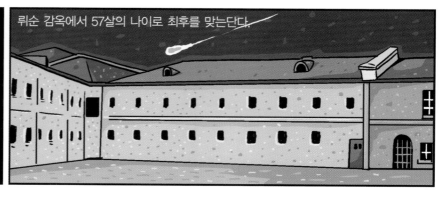

뤼순 감옥에서 57살의 나이로 최후를 맞는단다.

부인과 아들은 그가 위독하다는
소식을 듣고

급하게 달려왔지만,

마지막 인사도 나누지 못 하고
쓸쓸한 최후를 맞았지.

면회는
안 되오.

제발~
얼굴만이라도….

다음날 화장되어 한줌 재로
변한 신채호는

뤼순감옥 화장터

부인과 아들 수범의 손에 들려
조국으로 돌아왔단다.

조국이 독립이 되는 날, 자랑스러운
우리 역사를 기록한 역사책을 들고 오고자 했던 길이었을 텐데,
한 줌의 재가 되어 그렇게 쓸쓸하게 돌아오고 말았지.

제3장

신채호가 생각한 역사는 이런 것이다

역사가들은 역사를 연구할 때 가장 먼저 '역사' 가 무엇인지에 대해 정의하곤 한단다.

역사는 나침반이다.

역사는 어제의 내일이다.

역사는 태양의 불꽃이다.

왜냐하면 그래야 역사를 쓸 때 그 방향을 잃지 않기 때문이지.

앞으로 전 - 진!!

역사

《역사란 무엇인가》라는 책을 쓴 E.H.카라는 학자는

역사를 이렇게 정의했어.

역사란 현재와 과거의 끝임 없는 대화다.

과거와 현재가 대화를 한다고? 이 말의 의미가 뭘까?

역사란 단순히 과거의 사실을 들추어내는 것에 그치는 것이 아니라

오늘을 살아가고 있는 우리들에게 영향을 주고 또 받기 때문에 이렇게 정의한 거야.

잘 받으라고.

패스 좋고….

그렇다면 우리의 신채호 선생님도 뭔가 멋진 말로 '역사'를 정의했을 것 같지 않니?

《조선상고사》 책 설명을 할 때 이야기했는데, 잘 기억해 봐!

"아(我)와 비아(非我)의 투쟁의 기록이다."

그렇다면 이것은 무슨 의미일까?

'아'는 글자 뜻 그대로 '나'라는 의미이고

我

'비아'는 '내가 아니다'라는 뜻이니까

非 我

'나 이외의 모든 것'이라고 할 수 있겠지.

我 非我 非我 非我 我 非我 非

투쟁이란 말이 조금 무섭게 들리지만 꼭 그렇지는 않아.

너희들 친구 사이의 일들을 한번 생각해 보자.

친구란 좋을 때도 있지만 서로 싸울 때도 있지.

신채호가 생각한 역사는 이런 것이다

사이가 좋은 친구들은 평소에도 좋은 관계를 유지하기 위해 노력할 뿐 아니라

한 판 할래?

서로 다투었을 때에는 화해하기 위해 노력을 하잖아.

그런 노력도 모두 투쟁의 한 종류란다.

또 친구가 너보다 시험을 잘 보면 기분이 어떠니?

축하해 줄 일이지만, 다음 시험에서 그 친구보다 좋은 점수를 얻기 위해 노력하겠지?

열심히… 졸려~

이것도 투쟁의 한 모습이야.

나의 라이벌

그러니까 무조건 투쟁이라고 해서 상대방과 치열하게 싸우는 것만은 아니라는 점을 기억해.

좀 더 넓게 생각해 봐.

경쟁심, 질투, 노력 등등 투쟁에는 여러 모습이 있단다.

투쟁의 여러 모습이야.

경쟁심 질투 노력

그럼 역사 속에서 '아' 와 '비아' 를 조금 더 설명해 보자.

아(我) 비아(非我)

역 사

개인적으로는 '나' 자신이 바로 '아' 이지만

아!

국가적으로는 우리나라가 바로 '아' 가 되는 거야.

아!

그렇다면 '비아'는 누구, 어디를 말하는 것일까?

비아?

나 이외의 사람, 우리나라 이외의 나라들,

반대로 다른 나라 입장에서는 그 나라가 '아'이고 다른 나라들이 그 나라의 '비아'가 되겠지.

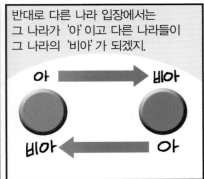

아 ➡ 비아
비아 ⬅ 아

또 이런 경우도 생각해 보자.

너무 가난해서 재산이 없는 사람이 '아'라면

가난한 아(我)

가난한 사람들의 비아!!

부자인 비아(非我)

재산을 많이 가진 사람들이 비아가 되겠지.

자본가   지주

신채호는 아와 비아가 서로 접촉하면 할수록 투쟁이 매서워지고,

그러면서 역사는 앞으로 나간다고 생각했던 거란다.

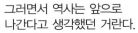

이렇게 보면 인간의 삶이 온통 '아'와 '비아'로 구성되어 있다고 볼 수 있어.

비아
아
비아
비아
아
아
비아

하지만 신채호가 주목했던 것은 인간 또는 국가들의 '아'가 아니라 '역사적인 아(我)'였어.

인간의 我
국가의 我
역사적인 我

'역사적인 아'란 역사 속에서 개인과 국가가 차지하는 자기 정체성을 말하는 거야.

'역사적인 아'란 역사 속에서 의미가 있는 '아(我)'

역 사

신채호는 역사 속에서 의미 있는 '아' 가 되기 위해서는 '상속성과 보편성' 이 있어야 한다고 주장을 했단다.

보통 부모님으로부터 재산을 물려받는 것을 상속이라고 하지?

바로 그 상속과 같은 뜻이야.

상속 (相續)

다음 차례에 이어 주거나 이어받음.

그러니까 상속성은 어떤 주장이

세월이 흘러가도 사라지지 않고

후손들에게 지속적으로 전해지는 것을 의미해.

우리가 부모님께 효도를 해야 한다는 생각을 자연스럽게 하는 것도

그런 생각을 조상님 때부터 이어 왔기 때문이라 할 수 있어.

그렇다면 '효도' 라는 것은 상속성을 가지고 있는 거지.

한편 보편성은 말 그대로 누구에게나 알려진다는 것, 또는 영향력을 미치게 된다는 것을 의미해.

상속성이 세월이 흘러도 계속 유지되는 것이라면 보편성은 그 당시에 많은 사람들에게 영향을 주는 것을 의미하지.

조선상고사

우리나라의 학자 중에 김석문(1658~1735)이란 학자가 있었어.

김석문은 청나라에서 서양신부가 가져온 책을 읽고 지전설, 즉 지구가 움직인다는 주장을 했단다.

지전설!!

정말요?

와~ 놀라운걸!

이 사실이 놀라운 이유는 무엇일까?

그런 주장이 있었다는 게 생소해서요.

과거의 일이 생소하다는 것은 그의 주장이 널리 알려지지 못했다는 것이고,

보편성이 부족해서죠?

따라서 후손들에게 전해지지 못했다는 것을 의미하는 거야.

그건 상속성이 없었다는 의미로 받아들일 수 있겠네요.

이와 같이 상속성과 보편성을 갖는 것,

상속성   보편성   아

이것이 바로 '비아'와의 투쟁에서 '아'가 승리하는 길이란다.

신채호는 조선이 다른 나라와의 투쟁에서 승리하는 '아'가 되길 바랐어.

승리하는 '아'

비아를 정복하여 아를 드러내면 투쟁의 승리자가 되어 미래 역사에서 그 생명을 이어가고,

아를 소멸시켜 비아에 공헌하는 자는 투쟁의 패망자가 되어 역사에 그 흔적만 남기는데, 이는 고금의 역사에서 바뀔 수 없는 원칙이야.

신채호는 투쟁에서 승리해야 할 주역인 우리 민족을 '아'로 정했고,

역사 속에서 비아에 맞서 투쟁해 온 사례를 찾아

우리를 중심으로 역사를 서술하려고 했던 거야.

우리를 중심으로 역사를 서술하는 건 당연한 거 같아요.

하지만 역사를 공부하던 신채호는

과거 우리의 역사책들이 우리나라를 중심에 놓지 않았던 것을 발견했어.

역사

이 때문에 신채호는 우리나라의 역사를 새롭게 써야 한다고 생각한 거란다.

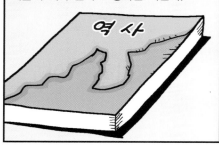

역사

새로운 역사를 쓰기 위해서는 과거의 역사가들과 역사책들이 어떤 것이었나를 정리해야겠지?

꼼꼼히 정리하자.

그래서 신채호는 《조선상고사》의 첫 장에

朝鮮上古史

역사에 대한 자신의 생각을 여러 가지로 이야기하고 있는 거란다.

역사

그 첫 번째가 과거에 역사가들에 대한 평가란다.

평가서

역사가가 역사를 기록할 때 가장 중요하게 생각하는 것은 무엇일까?

과거 사실을 정확히 기록하는 것일까?

아니면 그 역사적 사실에 대한 역사가 자신의 평가일까?

사실을 사실대로 제대로 기록하는 것도 중요하고,

역사적 사실을 객관적으로 평가하는 것도 중요해.

그런데 신채호는 과거의 역사가들에게 화가 많이 났어.

뭐….

잘 좀 하지!

왜냐하면 과거의 역사가들은 사실을 사실대로 기록한 것이 아니라

자기들의 목적에 따라 사실을 이리저리 바꾼 것으로 보였거든.

사과!!

신채호는 《조선상고사》에서 화가를 비유로 들어 설명하고 있어.

그림을 그리는 화가가 연개소문을 그리려면

얼굴이 크고 잘생긴 연개소문을 그려야 하고,

아주 좋아.

신채호가 생각한 역사는 이런 것이다

67

강감찬을 그리려면 몸집이 작고 못생긴 강감찬을 그려야 하는데,

강감찬이 큰 업적을 남긴 장군이라고 해서 멋있게만 그리려고 하면

그게 어디 강감찬이겠어?

이게 나라고?

신채호는 우리의 역사가들도 마음이 삐뚤어져 자신이 그리고 싶은 그림을 그리는 화가와 같다고 생각한 거지.

그 때문에 꼭 기록되어야 할 것이 없어지고 잘못된 기록들이 많이 남아 있는 거라고 한탄하고 있어.

그래서 신채호는 역사를 바르게 기록하기 위해서는

역사를 구성하는 세 요소, 때, 땅, 사람이 중요하다고 주장했지.

예를 들면 삼국시대의 신라를 신라라고 하기 위해서는

고구려, 백제와 함께 했던 삼국시대라는 '때'가 필요하고,

오늘날의 경상도라고 하는 '땅'

그리고 신라 '사람'들이 있어야 하지.

조선상고사

당연한 것 같지만 이 세 가지를 정확히 지키지 않아

사람(人)
땅(地)
때(時)

잘못 기록된 역사를 신채호는 많이 발견했어.

역사가들이 우리 역사가 전개되었던 중국 만주지방을 외면하고

우리 역사를 오직 압록강 이남의 한반도라는 '땅' 안에서만 전개된 것으로 기록한 예를 발견한 거야.

그렇게 되면 현재의 중국 땅에서 전개된 고구려사와 부여사 그리고 발해사는 설 땅이 없어지는 거잖아.

둥실
둥실
둥실

우리의 고대사를 기록한 《삼국유사》와 《삼국사기》에서 '때'와 '땅', '사람'을 잘못 기록한 것을 비판한 거야.

三國遺事
三國史

신채호가 지적한 잘못 기록된 역사의 예를 하나 더 들어볼까?

이걸 보라구!!

삼국시대의 장군들이 공자와 맹자의 사상을 얼마나 공부했을 거 같니?

공자?
맹자?

문무를 겸비했으니까 유학 공부를 많이 했을 거 같지?

문(文)
무(武)

하지만 신채호가 보기에 삼국시대의 장군들은 유교 사상에 그렇게 푹 빠져 있지 않았는데,

유교 사상은 무슨… 칼싸움이나 하자.

김부식이 쓴 《삼국사기》에 등장하는 무사들은

三國史

유교 경전에나 나오는 말들을 일상용어처럼 사용해.

예(禮) 의(義) 충(忠)

그 이유는 우선 《삼국사기》를 쓴 김부식 자신이 유학자였고

공자 왈...
맹자 왈...

또 당시 고려는 유교를 중심으로 나라가 운영되고 있었거든.

즉 신채호는 김부식이 자신이 살았던 시대의 가치관으로 삼국의 역사를 기록했다고 판단한 거지.

역사가 프로크루스테스의 침대야?

비어져 나온 팔다리를 잘라 버려야지.

특히 신채호가 아쉬워한 것은 조선이 건국되면서 유교의 윤리와 맞지 않는다고 과거의 기록들을 상당 부분 불태워 버린 일이야.

남녀상열지사.....

조선 시대에 강조된 것은 충과 효 그리고 단정하고 엄숙한 것,

충효!!
단정!!

중국은 큰 나라이므로 작은 나라인 조선은 항상 중국을 섬겨야 한다는 생각이니까,

앞 시기의 역사도 그런 눈으로 보려고 했겠지.

신채호가 답답해 하며 한 말을 들어봐.

그리하여 영토가 확장되고 줄어듦에 따라서 민족의 활동이 왕성해 지기도 하고 위축되기도 하였던 것이나, 시대의 흐름을 따라서 국민들의 사상이 변해온 자취를 도무지 찾을 수 없게 되었다.

사상의 자취

각 시대마다 그 시대의 특징이 있었을 것인데,

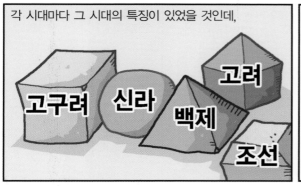

도무지 차이를 찾을 수 없게 된 것에 대한 답답함을 이야기하고 있는 셈이지.

샘플대로 기록해!

이렇게 똑같아진 이유는 있는 그대로의 역사를 바르게 기록하지 않았기 때문이지.

연개소문 얼굴이 마음에 든다고 강감찬도 연개소문처럼 그리고, 이순신도 연개소문처럼 그린다고 생각해 봐.

이건 아니잖아.

그럼 신채호가 생각한 해결책은 무엇일까?

대안!!

오늘날이라면 많은 학자들이 함께 토론하고 연구하면 되지만,

그때는 그게 어려웠기 때문에 택한 방법은 비록 사실을 잘못 기록한 역사책들도 있지만,

우선 이 책들을 자세히 연구해서 사실과 거짓을 가려내어

새롭게 역사를 서술하는 거라고 생각했단다.

하지만 남아 있는 역사책이 별로 없었어.

분명히 삼국시대에도 삼국이 각각 자신의 역사를 편찬했다는 기록은 있지만, 남아 있는 것이 없었어.

삼국을 통일한 신라도 역사를 정리해서 쓰지 않았을까?

고구려의 뒤를 이은 발해도 마찬가지고…

그런데 신채호가 찾은 가장 오래된 역사책은 고려 시대에 쓰인 《삼국사기》와 《삼국유사》였어.

기록된 역사를 잘 보관해 오지 못한 역사가 아쉬워.

그나마 우리의 고대사에 대한 기록이 중국 역사책에 일부 남아 있어서

국사교과서에 가끔 인용되곤 해.

중국 역사서의 기록에 의하면…

우리나라 최초의 국가인 고조선에 8개의 법이 있었다는 것도 중국의 역사책에 등장하거든.

8조 금법
8조 지교

신채호도 이 점이 몹시 가슴아팠던 것 같아.

"오늘날에 이르러서는 그 한마디 말이나 글자도 남아 있는 것이 없으니 이는 천하만국에 없는 일인지라. 역사에 영혼이 있다면 처참해서 눈물을 뿌릴 것이다."

《삼국사기》를 읽으며 신채호는 수없이 잘못된 기록에 화가 났어.

그래서 김부식을 강하게 비판했지.

김부식!!

왜 이리 귀가 가렵지?

신채호는 다른 책들은 다 불타 없어졌는데,

오류로 가득찬 《삼국사기》가 전해오는 이유가 궁금했나 봐.

결론은 이 책이 뛰어나서라기보다는 중국에 대한 사대주의를 근본으로 하고 있었기 때문이라고 생각하게 되었지.

위대하신 중국 형님......

고려 후기에 몽골이 침략하자

몽골

고려는 강화도로 수도를 옮기고

강화

팔만대장경을 만들며 항전했던 것은 알고 있지?

하지만 몽골에 패하여 그들의 간섭을 받던 고려 후기에 이르면

감 놔라 배 놔라.

고려의 자주성이 위협받게 돼.

이 시절에는 고려의 자주성을 담은 역사책들이 사라지고

지켜주지 못해 미안해.

각종 행사는 폐지되었는데,

팔관회 연등회

폐기물

사대사상을 담고 있는 《삼국사기》는

오~거룩하신 중국..

三國史

여전히 살아남을 수 있었던 거지.

三國史

특히 이 시기에는 몽골의 미움을 받을까 하여 고려의 강성함을 담았던 기록들은 깎아 버리고

확실히
없애라.

네····
네····

중국에 복종하여 섬기던 사실들을 찾아내어 기록하고 민간에 퍼뜨린 결과,

위대하신 중국의
은혜로···.

조선이 건국되고

조선

고려

고려의 역사를 기록할 때 여전히 왜곡된 자료를 이용하게 되었다는 거지.

남아 있는
자료를
이용하다
보니···.

신채호는 조선을 건국한 태조 이성계의 위화도 회군이

북벌을 추진하던 중에

명나라에 대한 사대의 깃발을 내세우고 이뤄진 것을 못마땅하게 생각하고 있었어.

明

사대주의

위화도 회군 알지?

최영 장군이 명의 요동을 정벌하겠다고 군대를 일으켰는데,

명

의주

곽주 강계

안주

평양

봉주

개경

요동 땅을
정벌하라!!

이성계 등의 장수들이

작은 나라가 큰 나라를
치는 것은 옳지 않아.

압록강의 섬 위화도에서 군대를 돌린 군사 쿠데타야.

이 사건으로 이성계는 실권을 잡고

조선을 건국했잖아.

신채호는 훌륭한 임금 세종대왕이 나타나

짠!!

우리나라의 역사를 정리하는 작업을 했지만,

역사편찬을 위한 기본 자료를 몽골 침략기 이후에 정리된 것을 바탕으로 한

몽골침략기

이전

이후

한계를 극복하지 못 했음을 아쉬워했어.

세종대왕이나 다른 조선의 왕들이 자랑스러운 문화적 업적을 남긴 것과 상관없이

자주적이지 못한 역사인식에 안타까워하고 있는 것이지.

사대적   자주적

하지만 신채호를 위로할 만한 역사책이 전혀 없었던 것은 아니란다.

네가 만약 외로울 때면 내가 외로워 줄게...♪

신채호는 임진왜란과 병자호란이 끝난 뒤에 우리나라 역사학계도 서서히 진보했다고 보고 있어.

임진왜란   역사   병자호란

두 번의 큰 전쟁으로 모든 것이 파괴되면서

우리나라가 받은 상처도 컸지만,

아이고~ 온 몸이 다 아프네.

끙 끙 끙 끙

우리 것에 대한 관심을 갖게 되는 계기도 된 셈이지.

몸이 어느 정도 회복되었어.

사대의 대상으로 여겼던 명나라가 망하자,

이제는 우리 자신의 역사를 다시 돌아보려는 움직임이 시작된 거야.

역사

실학이라고 들어봤지?

조선 시대에 실생활의 유익을 목표로 한 학문이야.

실학

지금부터 300여 년 전 영조와 정조 임금이 왕이었을 때,

우리 역사에 대한 관심이 새롭게 생기면서

예쁘네.

역사

안정복의 《동사강목》, 유득공의 《발해고》, 한치윤의 《해동역사》 같은 역사책들이 쓰여졌는데,

신채호는 이 책들이 우리 역사를 바르게 쓰려고 노력했던 것으로 평가한단다.

신채호는 자신보다 앞서 살았던 역사가들과 그들의 역사서를 평가하는 데 인색한 편이야.

낙제!!

그것은 신채호가 역사가와 역사책은 자주적이어야 한다는 분명한 생각을 가지고 있었기 때문이지.

어디로 가는 거야?

자주적은 이쪽이란 말야.

신채호는 과거의 역사책을 읽으면서 아쉬움이 많았어.

후~~유.

첫째는 남아 있는 역사책들이 대부분 정치를 중심으로 서술했기 때문에

정치 정치 정치 정치

그 시대의 문화를 알기가 어렵다는 것이고,

문화는 코빼기도 안 보이네.

대부분의 역사책이 하나의 왕조만을 대상으로 한 것이라 전체적인 흐름을 알기 어렵다는 거야.

한 곳만 판다.

왕조

역사에서 중요한 흐름을 알기 위해서는 한 역사가가 여러 왕조의 역사를 균형 있게 서술해야 하는데 그게 없다는 거지.

그래서 신채호가 내린 결론이 뭘까?

바로 《조선상고사》를 시작으로 해서 우리나라의 역사를 '조선사' 라는 이름으로 쓰는 것이었지.

다음 장에서는 역사의 연구 방법에 대해 알아 볼게. 잠시 숨을 돌리고 휴식!

제4장

역사는 이렇게 연구해야 한다

앞장에서는 신채호가 과거의 역사가와 역사책들을 어떻게 평가하고 있는지 이야기했어.

신채호의 평가 기준은 역사책과 역사가들이 자주적인가, 사대적인가였지.

평가 기준표	
자주적	
사대적	○

여기에 그치지 않고 신채호는 역사를 대하는 과거의 왕조(국가)에 문제가 있다고 지적했어.

과거의 왕조

반성 좀 하시오.

우선 신채호는 과거의 각 왕조들이 역사를 서술하고도

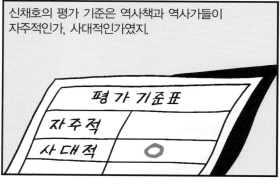

역사

이를 공개하지 않고 비밀스럽게 보관하는 것이 문제라고 했어.

1급 비밀

역사를 국가만이 쓰고,

개인이 과거의 역사를 쓰지 못 하게 하거나

국가의 횡포야.

한발 더 나아가 기록된 역사를 자유롭게 읽을 수 없게 한 것이 문제였다는 거지.

접근금지.

훠이~!

그러니 역사에 관심이 있는 사람들도

역사책을 읽을 수 있는 길이 없었고,

길이 없네.

역사

새로운 역사책을 쓰기도 어려웠다는 거야.

결국 포기할 수 밖에….

또 하나의 문제점은 새로운 왕조가 일어나면

새 왕조

앞의 왕조를 미워한 나머지 앞 왕조가 자랑할 만한 것은 모두 없애 버렸다는 거지.

몽땅 태워버리자.

화르륵~

신라가 삼국통일을 하면서 고구려, 백제의 역사가 사라졌고

청소는 즐거워.

고구려사 백제사

고려가 일어나면서 신라의 역사는 볼 수 없는 것이 되고…

이것도 가져가

신라사

조선이 건국되니 고려의 역사는 또 보잘 것 없는 것이 되었다는 거야.

음, 잘 어울리는군.

고려사

앞 왕조의 역사를 문제가 많고 초라하게 해야 새롭게 건국된 나라가 돋보이는 것은 맞지만,

그렇다고 과거의 역사를 없애고 왜곡하는 것은 옳지 않다는 거지.

신채호가 또 답답하게 생각했던 것은 우리의 글인 한글이었는데

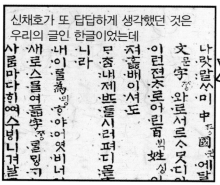

역사는 전부 한문으로만 기록되었다는 거야.

한문 기록 웬말이냐!

한글 기록 실시하라!

신채호(27세) 성균관 유생

남의 글인 한문으로는 우리의 생각을 온전히 표현할 수 없겠지?

거시기를 한자로 어떻게 쓴다냐.

재미있는 예를 하나 들어볼게.

조선의 현종 임금이 조총의 길이가 궁금해서 신하에게 얼마나 되느냐고 물었는데,

조총의 길이가 대체 얼마나 되는고?

신하가 두 손을 들어 '요만하다'고 했다는 거야.

요만한 크기이옵니다.

옆에서 이 상황을 기록하던 사관이 '요만하다'를 한문으로 표현하기 힘들어 끙끙거리다 혼이 났단다.

요만하다? 어떻게 표현해야 하는 거야?

너무 어렵다.

그것도 하나 표현을 못 해?

이럴 때 우리 글로 표현하면 얼마나 편하니?

왕이 유혁연에게 조총의 길이를 물으시자 유혁연이 팔을 벌려 '요만합니다'라고 아뢰었다.

신채호는 과거 우리나라의 역사 기록과 관리방법에 대해서 비판적이었지만

일본이 지적한 조선 역사의 문제점에는 동의하지 않았단다.

조선의 역사는 문제가 많스므니다.

모르는 소리 하지 마!!

특히 조선이 당쟁(당파싸움) 때문에 망했다고 하는 말에는 동의하지 않았어.

조선

당쟁

다른 말로 붕당정치라고 하는데

朋黨之爭 (붕당지쟁) =당쟁(黨爭)

일본은 조선이 망한 이유가 3백 년간 사색(동인, 서인, 남인, 북인)으로 나뉘어 싸움을 했기 때문이라고 했거든.

하지만 신채호는 자기 당의 주장이 옳음을 증명하기 위해

우리가 옳아.

주장의 정당성

각 당마다 더욱 신경 써서 글을 쓰는 경향이 있었고,

한 글자 한 글자 최선을 다해 쓰자.

끄~응.

정권을 잡지 못한 쪽에서 정권을 담당하고 있는 쪽의 잘잘못을 논술하게 되었으므로

논리… 논리….

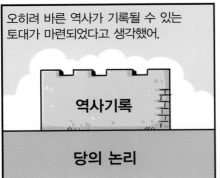

오히려 바른 역사가 기록될 수 있는 토대가 마련되었다고 생각했어.

역사기록

당의 논리

그런 바탕 위에 18세기 실학기에 안정복, 이종휘, 한치윤 등 신채호가 높게 평가하는 사학자들이 나올 수 있었다는 거야.

서로 학문적으로 싸우다 보니 자신들도 모르게 조선의 학술에 공헌한 바가 크지.

이제 역사를 연구할 때 어떻게 연구해야 하는가에 대한 신채호의 생각을 이야기해 볼게.

역사 연구의 방법

과거 역사가들이 잘못했다고 비판을 했으니 바른 역사 연구 방법을 제시해야 하는 것은 당연하겠지.

신채호가 가장 중요시한 것은 역사 연구의 기초가 되는 자료란다.

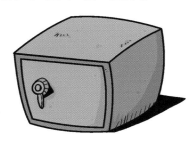

역사를 연구하는 데 필요한 자료를 '사료'라고 하는데,

사료를 어떻게 수집하고 선택해야 하는가에 대한 신채호의 생각을 알아보자.

사료의 종류에는 무엇이 있을까? 우선 옛날 역사책을 들 수 있겠지.

또 옛날 사람들이 남긴 일기나 책,

日記

작은 기록들도 훌륭한 사료가 될 수 있어.

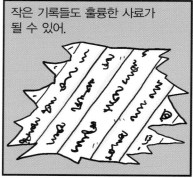

다음으로 들 수 있는 것이 옛날에 만든 비석과 같은 금석문이 있고,

또 무덤과 각종 유물들도 훌륭한 사료가 된단다.

이런 유물과 유적은 전쟁이 나도 쉽게 불타지 않아서 역사를 연구하는 데 아주 중요한 역할을 하지.

잠시 샛길로 빠져서 비석을 중요시했던 신채호가 광개토태왕릉비를 찾았을 때 이야기를 해볼게.

신채호가 중국으로 망명한 뒤 광개토태왕릉비와 그 주변의 묘지들을 본 이야기는 앞에서 했지?

감개무량!

그런데 망명객이었던 신채호는 일본인들이 탁본해서 파는 광개토태왕릉비의 탁본을 살 돈이 없었어.

탁본 사세요. 탁본 있스므니다.

그래서 우리 조상들이 남겨 놓은 유물과 유적을 마음 놓고 연구하지 못하는 안타까움을 다음과 같이 기록하고 있단다.

가슴이 아파.

"수백 원이 있으면 묘 한 개를 파볼 수 있고,

수천 원 혹 수만 원이 있으면 능 한 개를 파볼 수 있을 것이다.

그리하면 수천 년 전 고구려인들이 생활한 모습에 대한 살아 있는 사진을 볼 수 있을 텐데 하는 꿈만 꾸었다.

아, 슬프다. 이와 같이 하늘이 감추어둔 비사(秘史)의 보고를 만나서 나의 소득은 무엇이었는가.

인재와 물력이 없으면 재료가 있어도 나의 소유가 아님을 알았다."

돈 내!

그림의 떡이군.

돈이 없던 신채호는 종이에 광개토태왕릉비와 주변의 묘지들을 그림으로 그리고.

포기할 수 없어.

여기저기를 답사하면서 자신이 예전에 공부했던 중국 역사책의 기록을 확인했단다.

그리고 내린 결론이 있어.

현장에 가서 집안현을 한번 본 것이 김부식의 고구려사를 만 번 읽는 것보다 낫다.

신채호는 남아 있는 유적과 유물들이 왜곡된 역사서보다 훨씬 많은 역사적 진실을 이야기할 수 있었다고 믿었던 게 분명해.

진실은 바로 저기에 있어.

종이류

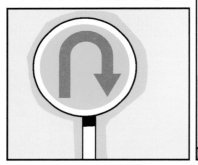

다시 원래 이야기로 돌아가자.

신채호는 비석과 같은 유물을 중시 했지만,

그렇다고 기록으로 남아 있는 역사책을 무시하지는 않았어.

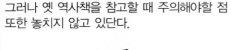

그러나 옛 역사책을 참고할 때 주의해야할 점 또한 놓치지 않고 있단다.

옛날의 역사책을 참고할 때 가장 중요한 것은 여러 종류의 책을 참고해야 한다는 거야.

《삼국사기》에 기록이 없으면

없어.

중국의 역사책과 조선 시대의 역사책까지 비교 연구하여

원하는 결론을 증명할 수 있는 자료를 찾아내야 한다는 거지.

같은 사건에 대해

각각 다르게 쓴 여러 책의 내용을 비교하여 연구하다 보면

부족한 부분을 채워 줄 내용을 분명히 찾을 수 있거든.

예를 들어 보자. 안시성이라고 들어 봤지?

645년 고구려의 양만춘 장군이 당 태종의 침략을 막아 끝까지 싸운 곳이야.

이곳에서의 싸움 중 당 태종은 눈에 화살을 맞아 한 쪽 눈을 잃고

결국 고구려 공격을 포기하고 돌아가면서

안시성 성주였던 양만춘에게 비단을 선물했다고 해.

악!

아쉽지만 돌아 가자.

택배요.

To 양만춘
From 당 태종

Quick 서비스

그리고 돌아가서는 눈병이 악화돼서 죽었다고 알려져 있어.

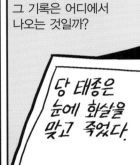

그 기록은 어디에서 나오는 것일까?

당 태종은 눈에 화살을 맞고 죽었다.

《삼국사기》일까? 아니야.

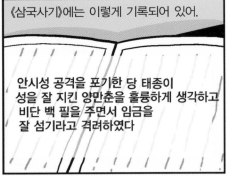

《삼국사기》에는 이렇게 기록되어 있어.

안시성 공격을 포기한 당 태종이 성을 잘 지킨 양만춘을 훌륭하게 생각하고 비단 백 필을 주면서 임금을 잘 섬기라고 격려하였다

전쟁에서 지고 물러나면서

적국의 장수에게 이 정도를 하고 가면 멋진 임금이겠지?

과연 그랬을까?

패하여 돌아가면서 진흙탕에 빠진 자신의 가마를 직접 밀고 갔다는 기록을 보면 그럴 정도로 여유가 있는 상황은 아니었던 것 같아.

헤헤

잠시 화장실 좀…

내 코가 석 잔데 비단은 무슨….

그런데 우리나라에 전해지는 이야기 속에 바로 이 당 태종이 눈에 화살을 맞고 돌아갔다는 이야기가 있어.

당 태종이

화살 때문에

죽었대.

1,000년도 훨씬 전의 이야기가 전해진다는 것은 뭔가 의미하는 바가 있겠지.

그래서 신채호는 당 태종에 관한 중국 측의 역사서를 검토하다가

오잉?

안시성 싸움에서 지고 돌아간 후에 몸에 악성 종기가 나서 고생하다가 죽었다는 기록을 찾았지.

악성종기로 죽었다. (자치통감)

신채호는 중국인들은 왕이나 신하들이 싸움에서 패하여 상하거나 죽으면

폐하!

이를 수치로 여겨 역사에 기록하지 않고 감추는 경우가 많다는 사실을 바탕으로

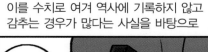

빨리 감춰!

당 태종도 그랬을 거라고 추론한 거지.

눈에 화살을 맞고 악성 종기로...

결국 여기 저기 흩어져 있는 기록을 찾아서 정확한 사실을 알게 된 거야.

역사적 사실

그러면 왜 《삼국사기》에는 이 기록이 없을까?

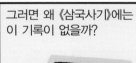

신라는 삼국을 통일한 후

모두 숙여!

고구려가 자랑스럽게 승리한 싸움을 별로 기록하고 싶지 않았을 거라고 신채호는 믿었어.

이런 건 빨리 덮어야 해.

고구려

고구려보다는 신라를 중심으로 쓰인 책이 《삼국사기》거든.

VIP!

그래서 신채호는 5, 6권의 역사책을 비교 분석하여 결론을 내렸어.

이제는 결론을 내릴 수 있겠어.

"당 태종이 보장왕 4년에 안시성에서 눈을 상하고 도망쳐 돌아가서 중국의 외과치료가 불완전하여 거의 30개월을 고생하다가 보장왕 5년에 죽었다"

신채호는 역사라는 것은 개별 사건들을 수집하여

잘못 전해진 것을 바로잡아

과거 인류의 행동을 살아 있듯이 그려내서

후세 사람들에게 물려주는 것이라고 믿었고,

또한 그렇게 바로 잡아야

그로부터 생긴 사건들을 제대로 이해할 수 있다고 본 거야.

말이 어려우면 다른 표현을 들어 볼게.

옷을 바르게 입으려면 첫 단추를 잘 꿰어야 한다고 하지.

역사에서도 단추가 잘못 꿰어지면

나머지 사실들도 줄줄이 왜곡될 수 있다는 것을 신채호는 이야기하고 있는 거란다.

그런 이유로 신채호는 외국, 특히 중국의 역사책을 인용할 때 주의해야 할 점으로

중국인들이 고의적으로 위조한 내용을 잘 골라내야 한다고 믿었어.

딱 걸렸어!

신채호 선생님은 중국 사관들이 공자의 춘추필법을 본받아 국내의 일은 자세히 기술하고, 국외의 일은 간략하게 하며, 높은 공덕은 치켜세우고, 수치스러운 일은 숨긴다고 주장함.

옛날 역사책에 나오는 내용이라 해도 자기들의 필요에 따라 얼마든지 사실을 왜곡해서 기록할 수 있었겠지.

찢고

고치고

지우고

신채호는 특히 중국의 역사서 중에 그런 내용이 많다고 생각했단다.

의문이 가는 내용은 여러 가지 기록들을 비교 분석해서 찾아내야 해.

그리고 하나 더,

신채호는 역사를 연구할 때 여러 부족이나 민족의 언어와 풍속을 연구해야 한다고 생각했어.

현재는 다른 민족, 국가로 살지만 언어와 풍속에 비슷한 내용이 있다면 연구해야 한다는 거지.

우리의 옛말을 연구하는 것도 중요하지만,

만주어, 몽골어 등을 함께 연구하다 보면 고대의 지명, 관직명의 뜻을 깨닫는 데 도움을 얻을 뿐만 아니라.

와지.

와지
↓
상림

민족의 이동이나 풍속의 차이 등을 밝혀내는 데 큰 도움이 되거든.

나, 라 → 내(川)

책이나 비석은 쉽게 없어질 수 있지만 말과 풍속은 그렇지 않거든.

우리가 별 생각없이 하는 말 속에도 역사의 진실이 담겨져 있단다.

그러니까 너희들이 하는 말도 역사 연구의 대상이 될 수 있지.

역사연구 대상

하지만 이렇게 좋은 연구 방법을 이야기하면 뭘 해.

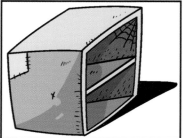

연구를 하고 싶어도 자료가 부족한

식민지의 지식인인 신채호는 참 마음이 아팠나봐.

자료가 모두 메말라 버렸어.

《조선상고사》에 신채호가 쓴 글을 봐.

"해외에 나온 뒤부터 한 권의 책조차 사기가 심히 어려운 형편이어서, 10년을 두고 《삼국유사》를 좀 보았으면 하였으나 그 또한 얻을 수가 없었다."

그나마 쓸 만한 자료도 식민지가 되면서 일본으로 다 가져간 상황이라 더욱 마음이 아팠을 거야.

안 돼!

일본이 밉긴 하지만 일본 학자들에 대한 부러움도 있었을 거고….

부럽다.

그러나 일본 학자들에 대해서는 여전히 자신감을 잃지 않았던 신채호의 모습을 볼 수 있단다.

너무 먹었나? 소화가 안 돼.

풋!

좀 길지만 다음 글을 생각해 봐.

"아, 슬프다. 일본의 학자들은 국내에 아직 충분히 만족할 만한 도서관은 없다고 해도 동양에서 제일이고,

또 지금에 와서는 조선의 소유가 거의 모두 그곳에 저장되어 있으며,

이런 도둑놈들 같으니라고.

또 서적의 구입 및 열람과 각종 사료의 수집이 우리처럼 떠돌아 다니며 생활하고 있는 가난한 서생들보다 훨씬 나을 것이고,

이번엔 뭘 먹어볼까?

게다가 신사학(新史學)에 상당한 소양까지 있다고 자랑하면서도,

우리처럼 신사학에 조예가 깊은 나라는 없스므니다.

지금까지 동양학 분야에서 위대한 인물이 나오지 못한 것은 무슨 까닭인가."

끙

그래서 대표할 만한 사학자는 있어?

우리의 귀한 자료를 남김없이 가져가서

자기들 입맛대로 조선의 역사를 왜곡하는 것에 대한 애석함과 통탄을 담고 있는 글이지.

맛있는 부위만 골라서….

나라를 빼앗겨 이런 애석함을 느끼는 일이 다시는 없도록 우리 함께 노력해야겠지?

잠시 쉬었다가 다음 이야기를 이어가자.

제5장

새로운 역사를 쓸 때 주의할 점

이번 이야기는 역사서술에 관한 신채호의 마지막 이야기야.

역사서술

과거와는 다른 역사를 쓰기 위해

새로운 역사

신채호가 중요하게 생각한 것은 무엇일까?

그는 당시에 새롭게 쓰여졌다고 하는 역사책을 못마땅하게 생각했어.

이게 뭐야?

역사 신간!!

내용은 변하지 않고 책의 제목, 포장만을 그럴듯하게 바꾼 것처럼 보였거든.

예를 들면 '신라사', '고려사' 하던 것은 '상세(上世)', '중세(中世)', '근세(近世)'라고 한다든지,

'권지일(卷之一)', '권지이(卷之二)' 하던 것을 '제1편', '제2편'으로 바꾼 것으로 큰 변화가 없다고 생각한 거지.

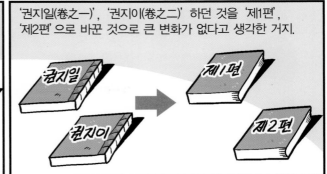

그래서 신채호는 역사서를 새로 쓸 때 중요시 해야 할 것을 제시했단다.

첫째는 역사적인 사건이나 사실의 계통을 잘 살펴야 한다는 거였어.

계통

사실

조금 어려운 말로 하면 사건의 인과관계를 잘 찾아야 한다는 거야.

엮히고...

설키고...

인과관계가 뭘까?

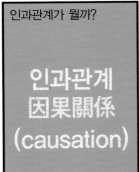

인과관계
因果關係
(causation)

신라의 화랑 중에 사다함이란 사람이 있었어.

화랑

《삼국사기》의 기록에 보면 겨우 15~6세에

삼국사기

15~16세.

천 명의 낭도를 거느리고 가야를 공격할 때 큰 공을 세운단다.

가야.

화랑

왕이 그 공을 칭찬하여 가야인 300명을 주었는데도

모두 풀어주고

이제는 자유야.

땅을 선물로 주어도 이를 사양했어.

땅

사다함은 가장 친한 친구 무관랑이 병으로 죽자

친구의 죽음을 슬퍼하다가 7일 만에 친구를 따라 죽었다는구나.

같이 가 친구야.

그때 그의 나이는 17세였어.

사다함

사다함은 황산벌에서 죽은 관창과 함께

계백아, 나와라.

화랑 정신을 드높인 대표적인 화랑으로 손꼽히고 있단다.

화랑정신

그런데 신채호가 사다함에 관한 역사 기록에서 궁금해 한 것은

겨우 15~6세에 천 명의 낭도를 거느릴 수 있는 화랑이 탄생할 수 있었던 원인이 무엇일까,

화랑과 같은 제도가 왜 신라에만 있었을까, 하는 것이었어.

신라

신채호가 기록을 살펴보니 그런 화랑의 전통을 고조선 시대부터 찾아볼 수 있었고,

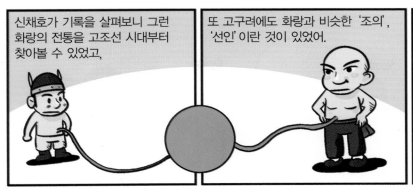

또 고구려에도 화랑과 비슷한 '조의', '선인'이란 것이 있었어.

그리고 고려 시대에도 화랑도의 전통이 남아 있음을 확인할 수 있었지.

쌍화점에 쌍화사러 들어 갔더니

신채호는 또 역사를 서술할 때 감정에 사로잡혀서 우리 역사를 지나치게 미화하는 것은 옳지 않다고 이야기하고 있어.

동방의 아름다운 나라 온갖 꽃들과 아름다운 새들의 고향~

역사학자 맞아?

예를 들면 이순신 장군의 거북선은

배를 철판으로 덮은 철갑선으로 알고 자랑스러워하는데,

이순신 장군이 남긴 기록 어디에도 철갑선이란 기록이 없다는 거야.

그러면 뭘까?

비록 배를 목판(나무판자)으로 덮었지만 송곳을 촘촘히 꽂아 적이 쉽게 접근하지 못하게 한 장갑선이었다는 거지.

적에게 철갑으로 보이기 위해 검은색을 칠했을 거라고 주장하는 학자가 있기도 해.

거북선에 철판을 덮지 않았다고 해서 이순신 장군이나 거북선의 위대함이 없어지는 것은 아니지.

그럼 거북선의 위대함은?

본질을 파악하란 말이야.

현재 우리나라 역사학계에서도 거북선이 철갑선이었나 아니었나를 두고 논란이 있긴 하지만

철갑선!

아냐!!

대체로 무거운 철갑선은 아니었을 거라는 쪽이 더 우세하단다.

우리 민족과 역사에 대한 자부심을 가져야 한다고 무조건 우리 것을 세계 최초라고 우기거나 없었던 일을 있었던 것으로 우기는 것은 옳지 않겠지?

최초!! 최초!! 최초!! 최초! 최초!! 최초!! 최초!! 최초!! 최초!! 최초!!

그런 것도 역사 왜곡.

또 신채호가 생각한 역사는

그 시대의 본질을 보여 주는 내용을 기록해야 돼.

역사 기록을 단순히 나열하는 식은 큰 의미가 없다는 거야.

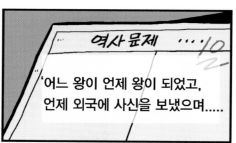

역사 문제 ···· 10

'어느 왕이 언제 왕이 되었고, 언제 외국에 사신을 보냈으며·····

역사를 기록하는 역사가의 책임이 크다는 이야기겠지?

책임

역사가

신채호는 이것을 설명하려고 후고구려를 세운 궁예를 예로 들었어.

《삼국사기》 기록에 보면 궁예는 신라의 왕자로 태어났는데,

신라

96 조선상고사

그가 태어난 날이 좋지
않은 날이었고,

우~ 이 일을
어찌할꼬….

또 궁예는 태어나면서부터 이가
나 있어서

국가에 불길한 징조라고 여긴 왕이 그를 버리게
되지.

높은 곳에서
떨어뜨려 죽여라.

응애ㅡ
응애ㅡ

그런데 그의 유모가 궁예를 받아 다행히
목숨만은 건졌어.

에구,
왕자님의
눈을 찔렀어.

이후 궁예는 유모의 자식으로
자라게 되는데

어머니.

자라면서 자신의 출생 비밀을
알게 되었어.

내가 신라의
왕자였다고?

그러자 당연히 자신을 죽이려 한 신라
왕에 대한 적개심이 생겼겠지.

비록 아버지라
할지라도
용서 못해.

한번은 부석사란 절에 갔는데

그곳에 자신을 낳아 준 아버지인
헌안왕의 초상화를 보고는

왜 이게 걸려
있는 거야?

갑자기 분노가 치밀어 올라 칼을 빼어 그 초상화를
쳐 없앤 일이 있었어.

많은 사람들은 궁예의 이러한 행동을 불효라고
비난했지.

신채호는 이 대목에서 궁예의 편을 든단다.

자식을 죽이려고 했다는 것은

이미 아버지와 아들의 인연을 끊었다는 것인데,

그런 아버지의 초상화를 칼로 베었다고 해서

궁예를 불효자로 만드는 것은 말이 안 된다는 이야기야.

신채호는 태조 왕건이 궁예를 몰아내고 고려의 왕이 된 것을 정당화시키기 위해서

고려의 역사가들이 궁예를 불효·불충한 인물로 만들어야 할 필요가 있었다고 생각했어.

폭군 궁예 입장!

역사는 승리한 자의 기록이란 말도 있듯이

고려 일보

왕건 취임

새시대

폭군 궁예 물러

왕건의 고려 건국을 합리화하기 위해서

궁예는 쫓겨나는 것이 너무도 당연한 폭군이 되어야 했다는 거지.

폭군

신채호는 궁예가 신라의 왕자였다는 것도 고려의 역사가들이 조작했다고 의심하고 있어.

기록된 역사를 그대로
믿는 것보다는

한 번 더 의심해 보는 신채호의
자세는

이 봐.
뒤에서
뭐해?

기록된 역사를 통해서 그 시대의 본질을 새롭게
보려는 노력이라고 할 수 있단다.

반대로 왕건이 고려를 건국하는 데 성공하지 못하고
역적으로 몰려 궁예에게 죽음을 당했다면

역적이 된 왕건에 대한 기록은
어떻게 되었을까?

한때 큰 인기를 끌었던
'태조 왕건'이라는
드라마에서

후고구려를 세운 궁예가 엄청난
인기를 끈 적이 있는데

주인공은
난데…

그 이유는 역사 기록에 등장하는 궁예와는
다른 모습의 궁예를 그려냈기 때문이지.

기록 밖으로
나오니
새로운
모습이야.

《삼국사기》에 보면 궁예는 왕건이
정권을 잡았다는 이야기를 듣고

왕건의 군대가
몰려 옵니다.

몰래 산으로 도망가다

백성들에게 잡혀서 죽는 것으로 기록되어
있어.

하지만 드라마는 궁예의 마지막을 다르게 구성했어.

어디 가?

드라마

역사

궁예가 이미 대세가 기운 것을 알고 궁을 떠나긴 했지만,

드라마에서는 왕건의 추격군 앞에서 자기 부하에 의해 의연하게 최후를 맞는단다.

흑흑… 폐하!

이 장면을 놓고 많은 사람들이 《삼국사기》 기록과 다르다며 비판을 하자

역사를 왜곡해?

당시 드라마 제작진은 승자였던 왕건의 입장에서 쓴 기록과는

왕건! 왕건! 왕건! 왕건!

다른 해석을 시도했다고 주장했지.

기록만이 진실은 아닐 것……

기록으로 남아 있는 역사를

역사

여러 관점에서 해석해 보고자 하는 작가의 노력으로

다양하게

많은 사람들이 궁예를 다시 생각해 보는 계기가 되었단다.

재평가해 줘서 고마우이.

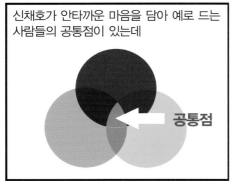

신채호가 안타까운 마음을 담아 예로 드는 사람들의 공통점이 있는데

공통점

바로 역사 속에서 성공한 사람들보다는 실패하여 잊혀진 사람들이라는 거지.

저기요…

비록 실패로 끝나 흔적조차 없어지거나 역적으로 기록되어 있지만,

당시에 그들의 주장이 받아들여졌을 경우

우리 역사가 크게 변했을 것 같은 인물들….

묘청, 궁예가 그렇고,

나무관세음 보살…

이성계가 신돈의 아들로 몰아 죽였던 고려의 우왕이 또한 그랬단다.

우왕이 누구냐고?

우왕은 이성계가 위화도 회군으로 정권을 잡을 당시의 고려왕이었는데,

신채호가 주목한 것은 우왕이 이성계에게 요동을 정벌하라는 명령을 내린 왕이라는 거지.

요동지방을 정벌하라!

만일 이성계가 위화도에서 군대를 돌리지 않고 요동을 정벌했다면

달라질 수도 있었던 고려의 역사와 그 당시 임금에 대해

다시 평가를 해 보자는 거란다.

이성계는 정권을 잡은 뒤

우왕이 공민왕의 자식이 아니고,

중 신돈의 자식이라고 하여 강화도로 귀향을 보냈거든.

신돈의 자식!

그러고는 우왕과 그의 아들을 죽였어.

이 사건을 두고 신채호는 역사가들에게 중요한 것은 우왕이 누구의 자식이냐가 아니고,

공민왕의 아들이야.

신돈의 아들!

중요한 건 그게 아냐.

요동정벌에 대한 우왕과 이성계의 주장 중

주장!

어느 쪽이 당시에 더 의미가 있었는가라고 말하지.

역사의 기록은 왕건과 이성계가 이기거나 옳았다고 기록하고 있지만 말야.

신채호의 다음 관심은

인물이 속했던 사회와 시대가

개인에게 어떤 영향을 주었는지에 대한 것이었어.

역사적인 인물의 개인적인 성향도 중요하지만,

그 인물이 살았던 시대를 함께 보아야

그 인물에 대해서 더 잘 이해할 수 있다고 생각했던 거지.

HELP!!!

그래서 신채호는 다음과 같은 질문을 던졌어.

개인이 사회를 만드느냐? 사회가 개인을 만드느냐?

예를 들어 다른 반에 비해서 성적도 뛰어나고

단합도 잘 돼서 부러움의 대상이 되고 있는 반의 반장은

선생님들로부터 통솔력이 있다고 칭찬을 받잖아.

앞으로!

이 경우 반장이 잘해서 칭찬을 듣는 것일까?

아니면 그 반 학우들이 반장이 칭찬을 받을 수 있는 분위기를 만들어 준 것일까?

만일 칭찬받고 있는 반장이

1반

옆 반의 반장이 되었다 해도

2반

똑같이 칭찬을 받을 수 있을까?

?

새로운 역사를 쓸 때 주의할 점

쉬운 문제 같지만 들으면 들을수록 헷갈리지?

신채호도 개인과 사회,

사회 ↔ 개인

또 개인과 시대의 관계를 놓고 비슷한 질문을 던지고 있단다.

시대 ↔ 개인

"원효는 신라, 그때에 났기 때문에 원효가 된 것이고,

퇴계 이황은 조선 시대, 그때에 태어났기 때문에 퇴계가 된 것이니,

만일 그들이 그리스에서 태어났더라면 플라톤이나 아리스토텔레스가 되지 않았을까?

나폴레옹이 우리나라 도산서원 부근에서 태어났다면

송시열과 같은 유학자가 되었거나,

자왈 나의 사전엔 불가능은 없다 ·····

홍경래와 같은 민란의 주모자가 되지 않았을까?"

나를 따르라!

송시열은 조선 후기를 대표하는 성리학자야.

율곡 이이를 이은 성리학의 대가였지.

그런 송시열과 나폴레옹이 옷을 바꿔 입었다고 생각해 봐.

홍경래는 19세기 안동 김씨들이 세도정치를 하던 기간에 평안도 지방에서 민란을 일으킨 대표적인 인물이란다.

평안도 지역에 대한 차별대우에 불만이 있었을 뿐만 아니라,

여긴! 들어오지 마!!

중앙정계

평안도

새로운 사회를 꿈꾼 혁명가였지만

우리가 주인인 세상!

정부군에 의해 진압되고 말았어.

탕!

똑똑했지만 시대를 잘못 만난 사람이지.

신채호는 나폴레옹이 우리나라에 태어났어도

송시열과 같은 유학자나 홍경래와 같은 혁명가가 되긴

어려웠을 거라고 결론을 내린단다.

또한 시대와 환경이 인물을 만드는 기본 요소가 되긴 하지만,

환경

인물

시대

인물에 따라서 시대와 환경을 이용하는 능력이 다르기 때문에

각각 시대와 나라를 바꿔 태어난다고 해서 같은 사람이 될 수 없어.

난 북극 여우 나폴레옹.

나는 사막여우 나폴레옹이야.

앞에서 이야기한 반장 이야기를 다시 해 보면

옆반 반장이 여러분들의 반 반장이 된다고

난 2반 반장인데 오늘부터 내가 1반 반장을 맡게 됐어.

지금 반장처럼 꼭 칭찬을 받을 수 있을까?

반 분위기는 변하지 않았겠지만 칭찬을 받을지는 알 수 없지.

정리해 보면 개인과 그가 속한 사회는

시대와 환경에 따라 아주 다른 모습으로 나타날 수 있다는 이야기란다.

신채호는 개인과 사회의 관계를 고민한 끝에 다음과 같은 결론에 도달했어.

1. 사회가 이미 결정된 국면에서는 개인이 힘을 쓰기가 매우 곤란하고
2. 사회가 아직 결정되지 않은 국면에서는 개인이 힘을 쓰기가 아주 쉽다.

그리고는 친절하게 예를 들어 주고 있어.

너무 어려우면 예를 들어볼게.

임진왜란이 일어나기 얼마 전 정여립이란 사람이 반란을 일으키려다 잡혀 죽었단다.

임금에 대한 충과 부모에 대한 효가 중시되던 조선사회에서

'백성에게 해가 되는 임금은 죽여도 되고, 의(義)를 행하지 않은 지아비는 버려도 된다.'

왕 입장에서 보면 이런 사람은 반역자 아니겠니?

이런 무엄한 놈을……

정여립의 생각에 동조하는 사람들이 있다고 해도

그래, 맞는 말이긴 해.

삼강오륜*을 중시하던 당시 조선 사회에서는 용납되기 어려운 사람이었어.

하지만 그래선 안 되지….

*삼강오륜 – 유교 사회에서 임금과 신하 부모 자식과 형제, 친구 사이 등 사람 사이의 도리에 관한 예의를 정리한 3가지 강령과 5가지 실천 덕목.

결국 정여립과 그의 가족은 모두 죽게 되고,

그가 썼던 책도 모두 사라지게 되지.

신채호는 정여립의 경우를

'사회가 이미 결정된 국면에서는 개인이 힘을 쓰기가 매우 곤란' 한 경우의 예지.

하지만 반대의 경우도 있어.

통일신라 말기의 유명한 학자로 경주 최씨의 시조인 최치원은

13세에 당나라에 유학하여 과거에 급제하고 돌아와서 유명한 글을 많이 남긴 사람이야.

《계원필경》이라고 들어 봤어?

신라에 돌아왔지만

자신의 뜻을 펼치기에는 시대가 맞지 않음을 한탄하고 세상을 떠돌며 살다가 죽었는데,

아~ 시대가 나를 안 도와 주는구나….

죽은 뒤에 많은 사람들에게 칭송이 되었지.

최치원! 최치원!

새로운 역사를 쓸 때 주의할 점

신채호는 최치원을

사회가 안정되지 않은 국면에서는 개인이 힘을 쓰기가 아주 쉬운데, 그 경우라고 할 수 있지.

그가 당나라에 유학을 다녀왔고

나름 엘리트 코스….

문장이 뛰어나기도 했지만, 역사에 길이 남을 수 있었던 이유는

계원필경

당시 신라 사회가 노후하여 사회의 중심이 되는 힘을 잃고

신라는 새로운 젊은 피를 수혈해야 합니다.

새로운 인물에 대한 수요가 '굶주린 자가 밥을 구하는 것과 같았던 시절'이라

정부

최치원이 '때를 잘 만나' 훌륭한 인물로 남을 수 있었던 것이라고 주장한단다.

신채호는 세상 모든 일에 이런 원리가 적용될 수 있다고 생각했단다.

세상 일을 풀어내는 만능열쇠지.

이미 모든 것이 결정된 안정된 사회에서는

앞 사람의 업적을 배워

오호라.

설명하거나 조금 더할 뿐이라

이 원리는….

유명한 인물이 나오기는 쉽지 않아.

어려운 원리를 쉽게 풀어냈다는구먼.

대신 잘못을 했을 때도 죄가 크지는 않지.

뭐, 어차피 나에게 큰 책임은 없으니까.

그런 안정된 사회에서는

앞에서 이야기한 정여립과 같이 혁명적인 생각을 하는 사람들은

우리들은 접근도 못 하게 하는 모순 덩어리….

당장 헐고 새로 지어야 합니다.

실패할 확률이 높을 뿐만 아니라,

지금껏 잘 살아 왔는데 굳이 무너뜨릴 것까지야….

당시 사회가 그를 원망하고 질투하여 그의 종적까지 지워 없애기 때문에

지우개

모두 지워 버려!

후세에 영향을 줄 만한 것을 전혀 남기지 못 한다는 거야.

설사 오랜 시간 뒤에 그를 알아주는 사람이 있다 해도

이런 혁명적 사고를 가진 인물이 있었다니….

남아 있는 자료가 없어 제대로 알 수조차 없지.

도대체 자료를 찾을 수가 없어.

신채호는 이런 사람들에게 특별한 애정을 보였어.

우리 같은 사람들….

역사 속에서 제대로 된 평가를 받지 못했지만

이들의 생각이 받아 들여졌다면

제안서

많은 것이 바뀔 수 있었을 것이라는 아쉬움을 담고 있는 거겠지.

역사

반면 아직 결정되지 않은 사회에서는

작은 재주로도 성공한 예를 들어 경계할 것을 이야기하기도 해.

베끼기의 달인 카피 김병만 선생님

신채호가 쓴 글의 일부를 읽어 볼까?

"작은 칼로 다듬는 하품(下品)의 재주꾼으로

외국인의 입술을 모방하여 말하고,

선진국에서 이게 최고 인기래.

웃고, 노래하고, 우는 모습이 그들과 꼭 닮아서

원본 복사본

사람들을 감동시킬 만하면

HIT 히트 상품

슬그머니 인물로서의 지위를 얻기도 하지만,

결국은 인격적 자성(自性)의 표현은 없이

베끼는 게 뭐가 어떻다는 거야?

노예적 습성만 발휘되어…(중략)

이번엔 이게 인기래.

이는 사회를 위하여 우려되는 바이므로

무조건 선진국을 따라가는 거야

나만의 것을 만들 거야.

인물이 되려는 자가 경계하고 조심해야 할 바이다.'

이 봐, 안 베끼고 어디 가?

신경쓰지 말고 빨리 베끼기나 해.

신채호라는 역사가가 역사를 연구하면서 가졌던 생각과 답답함을 이제야 조금 알 것 같지?

지금까지 한 이야기는 《조선상고사》 첫 장인 '총론'에 있는 내용이란다.

나는 총론을 통해 나의 역사관을 그대로 보여 주었어.

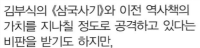

김부식의 《삼국사기》와 이전 역사책의 가치를 지나칠 정도로 공격하고 있다는 비판을 받기도 하지만,

너무 하는 거 아냐?

나라를 빼앗긴 상황에서

민족의 자부심을 찾고자 노력했던 역사가 신채호의 눈에는

자부심을 찾을 만한 역사책들이 없었어.

신채호가 《조선상고사》와 다른 책에서 문제 삼았던

우리나라 고대사의 논쟁점들은 시간이 지난 오늘날도 학자들 간에 논쟁이 되곤 해.

특히 《삼국사기》가 사대적인 역사서였는가 아니었는가는 아직도 결론이 나지 않았단다.

이젠 조금 쉬었다가 신채호가 들려 주는 《조선상고사》 속 우리의 고대사 이야기로 들어가보자.

어려운 이야기를 주의해서 듣느라 고생이 많았어.

제6장 수두 시대와 삼조선의 분립

신채호는 우리 역사를 어떻게 그려내고 있을까?

역사

그는 역사를 연구하는 방법으로 언어학적인 방법을 매우 중요하게 여겼어.

언어학적 방법

즉, 말의 유래를 파악하여 거기서 역사적인 사실을 이끌어 내는 것이지.

넌 어디서 왔니?

말

'나라' 의 유래는 어디서 온 걸까?

한자로는 '國(국)'

신채호는 이 말이 강에서 배를 타고 물을 건너는 곳인

'나루' 에서 비롯되었다고 설명하고 있어.

그럼 이 글자는 무슨 자일까?

이 글자의 발음은 '천'이지만 그 뜻은 '내'인데 이것은 강을 의미하지.

이것의 옛말이 '나 또는 라'였어.

나.

라.

그래서 강이 있는 곳을 옛날 우리 말로는 '라라'라고 했고

그것을 '나라'라고 하여 국가의 의미로 쓰게 되었던 거야.

라라 = 나라

강가를 중심으로 우리 조상들이 모여 살았고,

또 거기에서 고대의 우리 문화가 발생하였기 때문이지.

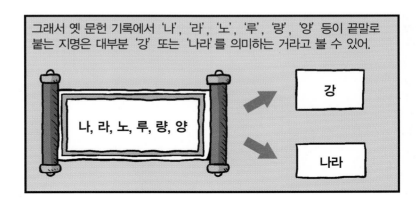

그래서 옛 문헌 기록에서 '나', '라', '노', '루', '량', '양' 등이 끝말로 붙는 지명은 대부분 '강' 또는 '나라'를 의미하는 거라고 볼 수 있어.

나, 라, 노, 루, 량, 양

→ 강

→ 나라

특히 우리 선조인 조선족이 흩어져 살고 있던 강 유역을 '아리라'라고 불렀는데

아리라.

우리나라의 압록강, 한강뿐만 아니라

압록강

한강

지금 중국의 길림 지역을 흐르는 송화강, 심양의 요하, 북경 근처의 난하 등의 옛 이름들은 모두 우리 조선 민족이 살던 강인 '아리라'를 의미하는 한자로 쓰여졌다고 주장하고 있어.

즉, 우리 민족은 옛날 한반도 뿐만 아니라 중국의 북경 일대에서부터 만주대륙에 걸쳐서 넓게 퍼져 살았다고 볼 수 있지.

이렇게 말의 유래를 통해서 역사를 이해하는 또 다른 예로 '부여'를 들 수 있어.

예전에 사람들이 처음 농사를 지을 때

이곳을 개간해야지.

들판에 불을 피워서 풀과 나무를 태워 없앤 후 밭을 일구기 시작했지.

그래서 옛말에 농사짓는 들판을 '불(=벌)'이라고 했어.

이 말을 한자로 쓸 때 음을 빌려썼기 때문에 똑같은 발음으로 쓰이지는 않았어.

'부여' '부리' '불내' '벌' '불'

모두 같은 의미로 쓰였지.

조선상고사

이처럼 우리 민족은 '아리라'를 중심으로 뿌리를 내리고

나라를 이루어 나갔고,

그들이 살며 개척한 땅을 '부여' 또는 '부리' 등으로 불렀던 거야.

부여

부리

이처럼 언어학적 방법을 이용하는 것은

역사를 연구하는 정통의 방법은 아니지만

역사연구

언어

우리 역사를 연구할 수 있는 자료가 부족한 현실에서

부족해도 너무 부족해.

또 다른 역사 연구의 실마리를 제공하는 방법이 될 수 있어.

신채호는 이 책을 쓰면서

朝鮮上古史

우리가 알고 있는 것과는 다른 용어를 많이 사용했는데 거기에 주의하면서 하나씩 살펴보자.

수두

신조선

신한

주신

말한

말조선

불한

《조선상고사》에서는 우리 역사의 시작을 '수두시대'라고 하였어.

이 곳은 역사의 발원지 '수두시대' 입니다.

'수두'란 '제사를 지내는 제단'을 의미하는 말이야.

조선 민족은 이 '수두'를 중심으로 여러 부족들이 모여 살며

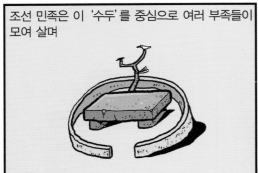

1년에 두 번, 즉 5월과 10월에 하늘에 제사를 지냈으며, 또 때로는 앞으로 일어날 일들에 대해 점을 치기도 하였지.

《삼국지》 '위서 동이전'에는 이런 곳을 '소도(蘇塗)'라고 하였는데

삼국지 위서 동이전
蘇塗

이것은 우리말을 표현하기 위해 중국의 한자를 빌려서 쓴 말이기 때문에

빌려 줘.

한자

그 발음은 '소도'가 아니라 '수두'라고 읽어야 한다는 것이 신채호 선생님의 주장이야.

X소도
수두

이렇게 우리말을 표현하기 위해 한자를 빌려 쓰는 것을 '이두'라고 하지.

이두

뒤에서 자세히 설명할게.

만약 외부에서 적이 쳐들어 오면 여러 부족들은 이 '수두'를 중심으로 하여 힘을 모아 싸웠지.

가장 큰 공을 세운 부족의 '수두'를 '신수두(臣蘇塗)'라고 하지.

'신(臣)'은 '크다'라는 뜻이야.

그리고 이 '수두'에는 그곳을 다스리는 사람이 있었는데

'단군'

그 가운데 '신수두'의 단군을 '대단군'이라고 했어.

그러니까 '수두시대'란 하나의 신수두 아래 여러 개의 수두가 있고,

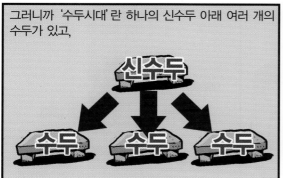

각 수두에는 '단군'이라는 지배자가 있어서 각 부족을 다스리던 시대라고 할 수 있어.

그리고 이 때의 나라 이름을 '조선' 또는 '주신'이라고 하였는데

우리가 아는 고조선이 바로 이 나라야.

수두시대를 이끌었던 신수두의 지배자는 대단군 왕검이야.

'단군왕검'은 고조선을 세운 사람이지.

대단군 왕검이 바로 그 단군왕검인데, 그가 나라의 모든 제도를 만들었어.

그는 자기를 포함하여 세 명의 왕을 두었는데

이 중에서 '신한'이 대단군 왕검이고,

'말한'과 '불한'은 대단군 왕검을 돕는 작은 왕이야.

수두 중에서 제일 가는 수두를 '신수두'라고 했지!?

그래서 세 명의 '한' 중에서 으뜸을 '신한'이라고 한 거야.

이 세 명의 왕들은 세 곳에 수도를 두어 3경(三京)이라 하여 이곳을 각각 나누어 다스렸고,

그 아래 다섯 개의 '가'를 두어 5부를 이루었는데,

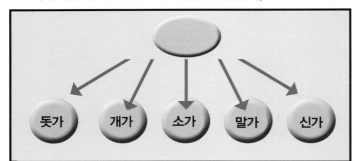

돗가 / 개가 / 소가 / 말가 / 신가

윷놀이 할 때 나오는 '도, 개, 걸, 윷, 모'가 바로 이 5부에서 나온 것이고,

윷판의 모양도 5부의 군사가 전쟁을 할 때 진을 짜는 모양이지.

돗(豚), 개(犬), 소(牛)를 보면 농목시대가 되었다는 것도 알 수 있지.

삼경 중의 하나는 '아사달' 또는 '비서갑'이라고 하는데 지금 중국의 '하얼빈'에 해당하고, 다음은 '안시성' 또는 '안지홀'이라고 하는 지금 중국의 '해성' 근처이고, 마지막 하나는 '백아강' 또는 '낙랑'이라고 기록된 '평양'을 말해.

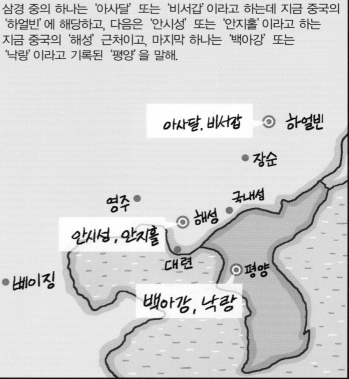

이렇게 광대한 영토를 다스리던 조선은 기원전 10세기경부터 대략 5~6백 년간 전성기를 누렸어.

그러나 이후 중국의 춘추전국시대의 나라들과 전쟁을 하면서 점차 땅을 잃어버리고, 국력은 약해져 갔지.

땅 내놔

싸울 힘도 없어.

그러다가 결국 조선은 세 개의 나라로 분리되고 말아.

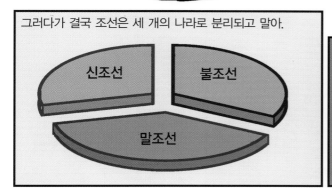

신조선

불조선

말조선

이것은 우리 역사의 삼한에 해당하는 거야.

신조선 = 진한
불조선 = 변한
말조선 = 마한

그렇다면 조선은 언제, 왜 서로 분리되었을까?

그것은 기원전 4세기 무렵 불조선의 왕이었던 기씨가

불조선

신조선 해씨 왕에게 반기를 들면서 시작되었어.

어이- 형씨!!

당시 조선 옆에는 중국의 연나라가 크게 힘을 키웠는데

연

불조선의 고위 관리인 예가 불조선의 왕에게 신조선을 버리고 연과 동맹을 하도록 부추겼어.

연나라가 힘이 세.

이 일을 계기로 결국 나뉘어 삼조선이 되었어.

조선이 셋으로 나뉜 이후 각각의 조선들은 어떻게 되었을까?

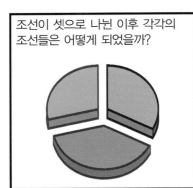

처음 신조선은 분리된 지 얼마 지나지 않아

다시 불조선, 말조선과 힘을 모아

뭉쳐야 산다.

선비족과 연나라를 치는 등 세력을 크게 회복하였어.

하지만 궁지에 몰린 연나라가 쓴 속임수에 말려들어

다시 넓은 땅을 빼앗기고 말았어.

내 놔

땅

이후 연나라는 신조선의 공격을 막기 위해 국경에 큰 성을 쌓았는데 지금도 그 흔적이 남아 연의 장성이라고 부르지.

어디 쳐들어와 보시지?

중국은 진나라가 등장하면서 최초의 통일 왕국을 이루었는데

진나라

만리장성을 쌓은 진시황이 바로 이 나라의 왕이야.

하지만 진나라는 오래가지 못하였고,

조선상고사

이어서 한나라가 들어서는 과정에서

중국 지역이 매우 혼란스러워졌는데,

이때 흉노족이 신조선을 침략해 와

국력이 매우 쇠약해지고 말았어.

그렇다면 조선이 셋으로 분리되는 원인을 제공했던 불조선은 어떻게 되었을까?

불조선은 처음엔 신조선을 배신하고

연나라와 연합하였지만

나중엔 다시 신조선과 연합하여 연나라를 공격하였지.

그러나 연나라의 계략에 말려 오히려 서쪽의 영토 천여 리를 상실하고 말았어. 이것은 앞에 신조선을 이야기할 때와 같은 내용이야.

하지만 이후 중국에서 진나라가 크게 성장하자

불조선은 진나라와 손을 잡고 결국 연나라를 무너뜨렸어.

그 후 진나라가 망하고

한나라가 들어서던 혼란한 시기에

위만이라는 사람이 불조선의 땅에 들어와 귀화를 요청하자

당시 불조선의 왕이었던 기준은 이를 허락하고

그에게 서쪽 땅을 주어 살게 하였어.

이후 위만은 오히려 크게 세력을 모아

불조선의 왕인 기준을 몰아내고 말았지.

기준은 남쪽에 있는 마한의 도읍인 월지국으로 들어가 다시 그 곳에서 왕이 되었지만

곧 마한 사람들에 의해 죽고 말았어.

조선상고사

마한은 바로 삼조선 중에 하나 남은 말조선이야.

말조선 = 마한

말조선의 처음 수도는 평양이었는데,

평양

언제, 왜 그랬는지 알 수 없지만 국호를 말한, 즉 마한으로 바꾸고

말조선
↓
마한

남쪽으로 옮겨와 월지국에 도읍을 두었어.

평양
월지국

신채호 선생님은 신조선과 불조선이 계속되는 전쟁으로 위축되자

너무 힘들어.

에고~ 아파.

난리에 염증을 느낀 말조선이

에효~ 안 되겠어.

전쟁이 없는 조용한 곳을 찾아 남쪽으로 왔을 것이라고 추측하고 있어.

음~ 새소리와 차향이 잘 어울려.

그리고 바로 이 마한 땅에 불조선의 왕 기준이 위만에게 쫓겨 도망왔었다는 것도 앞에서 얘기했지?

빨리 가라
어이- 나왔어.

월지국

하여튼 마한은 임진강 남쪽에 70여 개의 작은 나라들을 다스리고 있었는데,

신조선과 불조선의 유민들이 중국과 흉노의 침략을 피하여 남쪽으로 내려오자

도저히 못 살겠어.

낙동강 동쪽의 땅을 신조선의 유민들에게 나누어 주어 진한부라고 하고,

진한부에 정착하시오.

진한부

불조선의 유민들에게는 따로 낙동강 오른편의 약간의 땅을 주어 변한부라고 하였어.

당신들은 변한부에서 사시오.

변한부

이것이 우리 고대사에 보이는 삼한의 모습이야.

낙랑

마한

진한

변한

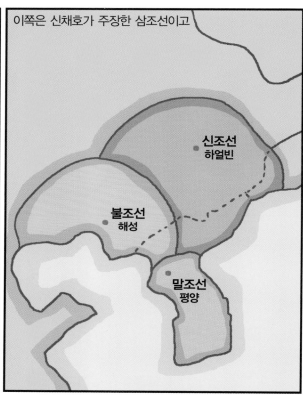

이쪽은 신채호가 주장한 삼조선이고

신조선
하얼빈

불조선
해성

말조선
평양

삼조선은 원래 평양, 하얼빈, 해성 등지에 중심지를 두고 있다가

하얼빈

해성

평양

각각 다른 시기에 남쪽으로 이동하여

조선상고사

마한은 임진강 이남 지역에, 진한은 낙동강 동쪽 지역에, 변한은 낙동강 서쪽 지역에 자리를 잡고 삼한의 모습을 이루었던 거지.

한편 말조선이 남쪽으로 내려가 마한이 된 이후

마한… 이름 좋다.

본래 말조선이 있던 평양 지역에는 최씨가 일어나 왕이 되고

자리가 비었네?

주변의 25개의 작은 나라를 합쳐 다스렸는데 이것이 바로 낙랑국이야.

이후에 여러 지역에 흩어져 있던 작은 세력들은 점차 그 힘을 키우면서

주변 국가들과 전쟁을 통해 싸우고 경쟁하는 시대가 시작되었어.

'여러 나라가 서로 경쟁하며 싸운다.' 는 뜻에서 '열국 쟁웅 시대' 라고 해.

다음 장에서는 이 나라들이 어떻게 세워지고 경쟁하였는지에 대해 알아보자.

제1장 열국 쟁웅 시대

앞에서 얘기한 '수두시대와 삼조선의 분립'은 잘 이해가 되었니?

사실 우리가 알고 있는 역사의 내용과 용어가 많이 달라서 생소한 부분도 있지?

이제 '열국 쟁웅 시대'에 대해서 살펴 볼 텐데,

열국 쟁웅이란 여러 나라가 서로 경쟁을 한다는 뜻이야.

여기에서는 우리에게 익숙한 부여, 고구려, 백제, 가야, 신라 등의 이야기가 나오는데

이것도 우리가 알고 있는 사실과 연대와 영토면에서 다른 점이 좀 있어.

우선 신채호 선생님은 《삼국사기》와 같은 우리 옛 역사책에는

고구려의 연대가 실제보다 1백 수십 년 줄어들었다고 하였어.

고구려 역사는 705년이야.

고구려

휴지통

그 증거로 《삼국사기》 고구려본기에는

여기 증거가 있지.

광개토태왕이 시조인 추모왕의 13세손으로 나와 있는 데 반해

13세손

광개토태왕릉비에는 17세손으로 기록되었다는 점을 들고 있어.

17세손!

고구려가 망하고

고구려

약 500년이나 지나서 쓰여진 《삼국사기》의 기록과

연대가 어떻게 되지?

고구려 당시 사람들의 기록과 비교한다면

어떤 것이 더 정확하겠니?

당연히 고구려 시대의 기록 아니겠어?

그래서 고구려는 《삼국사기》의 기록처럼 기원전 37년에 세워진 것이 아니라 그보다 훨씬 앞서 세워졌고,

기원전 37년

◀── 실제 고구려 역사 │ 삼국사기의 기록 ──▶

따라서 고구려의 역사도 900년이 넘는다고 본 거야.

누구 맘대로 역사를 줄여?

그러다 보니 이 열국이 경쟁하는 시대의 모습에는 우리가 일반적으로 알고 있는 것과는 달리 고조선과 중국이 벌인 전쟁이

고조선 선수와 중국 선수가 맞붙었습니다.

고구려와 중국의 전쟁으로 그려지기도 해.

고구려와 ~~고조선과~~ 중국의 전쟁.

또 하나, 신채호는 우리나라의 영토가 실제보다 크게 줄어든 채 기록되어 있다고 하였지.

이 넓은 땅을 빼고 기록하다니…

그 이유는 신라가 그 건국 시기가 고구려나 백제보다 뒤진 것을 부끄럽게 생각하여

애들은 가라.

이 두 나라를 멸망시킨 뒤에

까불고 있어.

기록에 남아 있는 연대를 없애고

고구려 백제

신라 이후에 세워진 나라로 만들었기 때문이라고 주장하고 있어.

고구려가 내 밑에 있을 때…

그리고 백제도 내가 키웠지.

그리고 영토 또한 신라가 북쪽의 영토를 모두 차지하지 못 하였기 때문에

여기는 내 땅이 아냐.

그것이 우리 땅인 줄 알지 못하게 된 것이지.

자, 그럼 지금까지 우리가 알지 못 했던 우리 역사 속으로 들어가 보자.

정말 몰랐다고.

1. 동부여의 분립

먼저 부여에 대해 알아보자.

《삼국유사》에 나오는 부여 이야기를 잠깐 얘기해 줄게.

부여왕 해부루는 아들이 없어 늘 산천을 돌아다니며 아들 얻기를 빌었지.

그러다 '곤연' 이라는 곳에 이르렀을 때

왕이 타고 가던 말이 큰 돌을 보고 서서는 눈물을 뚝뚝 흘리는거야.

그러자 해부루는 이상하게 여겨 그 돌을 들어보게 하였더니

그 아래 황금색 개구리 모양을 한 아기가 있었어.

왕은 하늘에서 내려준 아이라 생각하여 데려다 기르며

이름을 '황금 개구리' 란 뜻으로 '금와' 라 하고 태자로 삼았어.

그런데 얼마 있지 않아 나라의 대신 아란불이 꿈을 꾸었는데

나는 천신(天神)이다.

얼이 일어 나!!

이곳에 나의 후손이 나라를 세울 것이니

부여를 동해 바닷가 가섭원으로 옮겨라.

아란불이 이 꿈을 해부루에게 이야기하자

해부루는 나라를 옮기고 그 이름을 동부여라고 하였어.

동부여

그러자 원래 부여가 있던 곳에는 하늘의 아들이라고 하는 해모수가 내려와 나라를 세웠대.

북부여

앞선 역사가들은 이 이야기가 너무 신화적이어서 믿을 수 없다고 했지만

말도 안돼.

신채호 선생님은 이것을 토대로

호오~

부여의 역사를 재구성하였어.

부여사

북부여와 두 개의 동부여와 고구려는 모두 신조선에서 나온 나라들인데

신조선에서는 나라에 좋지 않은 일이 있으면 그 책임을 왕인 대단군 왕검에게 물었어.

책임을 지시오!

조선상고사

그런데 해부루가 나라를 옮길 당시

부여는 흉노와의 전쟁에서 패한 지 얼마 안 되어

나라의 힘이 약해졌기 때문에

해부루는 자기의 자리를 지키기 위해 아란불과 논의하여

갈사나 지방으로 나라를 옮긴 거야.

역사책에 가섭원으로 기록된 곳은 원래 갈사나를 불교식 말로 바꾸어 쓴 것이지.

葛思那 (갈사나)

迦葉原 (가섭원)

《대각국사 의천의 《삼국사》》

그러자 원래 부여가 있던 땅에는 해모수라는 사람이 등장하여 또 다른 나라를 세운 거야.

그래서 해모수가 왕이 된 부여를 '북부여'라고 하고

해부루가 옮겨간 부여를 '동부여'라고 한 거지.

그런데 동부여가 옮겨간 갈사나 지방은 어디이며, 그 뜻은 무엇일까?

갈사나 지방은 지금 두만강 건너편의 혼춘 지방이고,

그 뜻은 '삼림이 우거진 나라'라는 말이야.

우리 옛 말에 숲이 우거진 삼림을 '갓' 또는 '가시'라고 하여 '가시라'라는 말이 나왔고

가시라에서 길을 잃었어.

이것을 이두로 옮겨 쓸 때 '갈사국', '가슬라' 등으로 쓴 거야.

갈사국
(曷思國)
가슬라
(加瑟羅)

중국에서는 이 '가시라'를 '옥저'라고 하였는데,

옥저

가시 라

《만주원류고》라는 책에 의하면 '옥저'는 '와지'를 나타낸 말로

만주원류고
옥저→와지

만주어로 '와지'는 또한 '삼림'이란 뜻이야.

와지.

그러고 보면 갈사나, 즉 가시라는 곧 옥저와 같은 뜻이 되지.

갈사나 = 옥저

동부여는 옥저의 다른 표현이지.

해부루가 동부여로 옮겨 온 이후 그 아들 금와, 대소로 왕위가 이어졌어.

대소가 고구려 대무신왕과 싸우다가 죽자

그의 동생과 사촌동생이 서로 왕위를 차지하려고 다투다가

결국 대소의 동생은 원래 동부여에 나라를 두고

북갈사 (북동부여) 라고 할래.

사촌동생은 두만강 남쪽으로 내려와 부여는 둘로 나뉘었지.

그럼 난 남갈사 (남동부여). 라고 할 거야.

이것은 앞서 동부여가 옮겨간 '가시라'를 곧 '옥저'라고 한 데서 알 수 있듯이 우리 역사책에는 북옥저와 남옥저로 기록하고 있단다.

북옥저.

남옥저.

2. 고구려의 발흥

고구려를 누가 세웠는지는 다들 알지?

그래, 바로 '주몽'이야.

활을 잘 쏘는 사람.

'주몽'은 광개토태왕릉비에서는 '추모'라고 쓰고 있는데

'주몽'과 '추모' 중에서 어떤 이름을 써야 할까?

주몽?

추모?

고구려인이 만든 광개토태왕릉비에 '추모'라고 쓰여 있으니까

추모!!!

'추모'라고 부르는 것이 더 옳다고 생각해.

추모는 처음에 동부여의 금와왕 아래서 자랐어.

동부여에서 성장한 추모는

동부여 왕자들의 해코지를 피하기 위해 남쪽 졸본부여로 내려갔는데

잘 가.

오지 마!

그곳에서 소서노를 만나 결혼을 하게 되었지.

소서노는 먼저 우태와 결혼하여 비류와 온조 두 아들을 두었지만

우태가 일찍 죽어 과부로 지내고 있었어.

故우태의묘

추모는 소서노와 함께 힘을 모아 흘승골산 위에 도읍을 두고 나라를 세우니

그 나라가 바로 '가우리' 이고

가우리

'세상의 중심에 있는 나라'

이것을 이두로 쓰면 '고구려(高句麗)' 라고 하는 거야.

高句麗

추모왕이 죽은 이후에

고구려의 왕위는 유류왕*, 대주류왕**으로 이어졌는데

이 당시에는 동부여와 고구려 사이에 많은 갈등과 충돌이 있었어.

으르렁

*유류왕 – 유리왕
**대주류왕 – 대무신왕

유류왕 때 동부여는 금와왕의 아들 대소가 왕이 되었는데

이때 동부여가 크게 힘을 키워 고구려에게 신하의 예를 갖추고

꿇어!!

왕자를 인질로 보내라고 요구했어.

부여

  조선상고사

유류왕은 태자 도절을
인질로 보내려고 했지만

인질!!

도절은 동부여에 인질로 가는 것을
두려워하다가

무서워…

그만 병들어 죽고 말았어.

난 이제
자유다.

이후 동부여의 왕 대소가 다시 사신을 보내어
고구려에게 조공을 바칠 것을 요구하자

조공을
바쳐라.

왕자 주류가 어린 나이에도 불구하고 용기를 발휘하여
오히려 부여의 사신을 책망하여 쫓아 보내고 말았어.

무엄하다.

그러자 대소는 크게 화가 나 큰 군사를
일으켜 고구려를 쳐들어 왔지.

유류왕은 이 전쟁의 원인이
왕자 주류에게 있으므로 주류가
막도록 하였어.

왕자가
책임져.

이에 꾀를 낸 주류는 부여의 군사를 학반령이라는
고개에서 크게 물리쳤지.

별 것도
아닌 게
까불어.

와!

와!

이 주류가 유류왕의 뒤를 이어 대주류왕이 되었어.

대주류왕은 왕위에 오르자 국력을 키워

이제는 반대로 동부여로 쳐들어갔어.

한 판 붙을까?

이 전쟁으로 동부여의 왕 대소를 죽이는 성과를 거두었지만

그래도 동부여는 아직 힘이 센 나라라서

고구려도 큰 피해를 입었지.

헤헤 이겼어.

대소가 죽은 다음 동부여는 북동부여와 남동부여로 나누어졌다는 것 기억나지?

동부여

북 동부여

남 동부여

대주류왕은 동부여뿐만 아니라 평양에 있던 낙랑국도 정복하였어.

동부여

대주류왕에게는 호동이라는 아들이 있었는데

그는 낙랑국의 공주와 결혼을 하였어.

당시 낙랑국은 적이 침입하면 울리는 북과 나팔이 있었는데,

조선상고사

고구려가 낙랑을 쳐서
이기기 위해서는

이것들을 먼저 없애는 것이
중요한 일이었어.

그래서 호동 왕자는 낙랑의 공주를 시켜
그 북과 나팔을 모두 없애라고 요구했지.

그 이후 고구려 군이 쳐들어 오자 낙랑국은
기습을 받게 되어

으악!
고구려군이다.

제대로 저항 한 번 못하고 고구려에게
항복하고 말았어.

그럼 백제는 언제,
어떻게 건국되었을까?

우리는 보통 백제의 시조라고 하면
온조를 떠올리지!

그런데 신채호는 온조보다 온조의 어머니로
알려진 소서노에 더 주목하고 있어.

소서노는 원래 졸본부여
왕의 딸로

부여에서 내려온 추모를 도와

고구려 건국에 크게 기여하였지.

그런데 나중에 유류가 그 어머니인
예씨와 함께 추모를 찾아오자

소서노와 비류, 온조는
위기감을 느끼게 되었어.

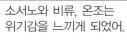

애들아,
짐 싸라.

그러자 소서노는 두 아들을 데리고
남쪽 마한 땅으로 내려갔어.

그들은 마한왕에게
재물을 바치고

미추홀과 하북 위례홀 등지의 땅을 얻어
비로소 '백제'를 세우고

소서노는 백제의 왕이 되었지.

백제
만세!!

여왕폐하
만세~

그러나 소서노가 죽자

비류와 온조는 서북쪽에 있는 낙랑과 예의 침략을
막기 위해 새로운 곳으로 나라를 옮기려고 하였어.

더러워서
피한다.

이 때 비류와 온조의
의견이 맞지 않아서

미추홀!!

위례홀!!

비류는 서쪽으로 가서 미추홀에, 온조는 하남 위례홀로
가 나라가 동·서백제로 나뉘게 되었어.

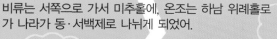

이후 온조의 백제는 비류를 흡수하여
다시 하나로 통합한 후 마한까지 무너뜨렸어.

형제는
용감했다

3. 한 무제의 침입

중국의 역사책은 항상 중국이 실패하였거나 중국에게 부끄러운 일들은 감추어 쓰는 경우가 많아.

축소해서 기록하고…

감출 건 감춘다.

손 똑바로.

예를 들자면 한나라가 고구려에게 패배한 사실이지.

톡 톡

네.

중국에 《한서》라는 역사책에는 이런 기록이 있어.

"한 무제가 즉위한 지 수 년이 지난 후 팽오라는 장군을 시켜 예맥 조선을 쳐서 창해군을 설치하려 하였으므로 연과 제 사이의 지방이 큰 소동에 휩싸였다."

이것은 한 무제가 동부여를 차지하기 위해

꿀꺽~

동부여

당시 동부여에 대한 영향력을 행사하고 있던 고구려와 9년간 싸우다가

넘보지 마!!

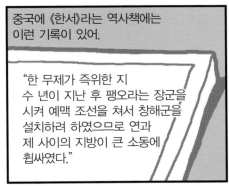

패한 사실을 숨기고 있는 거야.

내가 졌어. 그만 하자.

한 무제는 오래 전부터 예맥 조선을 침략하여 창해군을 설치하려는 계획을 가지고 있었어.

한사군

예맥 조선

주변의 신하들이 몇 차례 반대하는 상소를 올렸지만

폐하, 통촉하옵소서.

때마침 남동부여의 왕 남려가 고구려의 압박을 피하기 위하여

씨~ 다 이를 거야.

한나라에 도움을 요청하자

혼 좀 내줘요.

한 무제는 기회를 잡았다고 생각하여 군사를 일으켰어.

출군 하라!

하지만 당시 고구려의 완강한 저항에 밀려 매번 패배하자 결국은 돌아가고 말았지.

중국의 역사책은 이 패배를 기록하지 않고

단지 '창해군을 폐지하였다.'고만 적고 있어.

설치하지도 못한 창해군을 폐지하였다고 하면서 자신의 패배를 감춘 것이지.

어이 거기 서!

헤 헤

이후 10여 년이 지나 한 무제는 다시 침략해 왔는데

이번엔 꼭 승리한다!

이번에는 그 대상이 위씨조선이었어.

위씨 조선

앞서 위씨조선은 위만이 불조선의 왕 기준을 내몰고 세운 것이라고 얘기했었지?

위만조선

한사군은 진번, 임둔, 현도, 낙랑의 4개 군을 말하는데 당시 만주와 한반도 일대에는 북부여와 고구려, 동부여와
낙랑국 등이 있었기 때문에 한사군은 이들 나라 이외의 지역에 설치되었다고 밖에 볼 수 없어. 그렇다면 남은 곳은
바로 요동지역일 수밖에 없다는 것이 신채호 선생님의 주장이야.

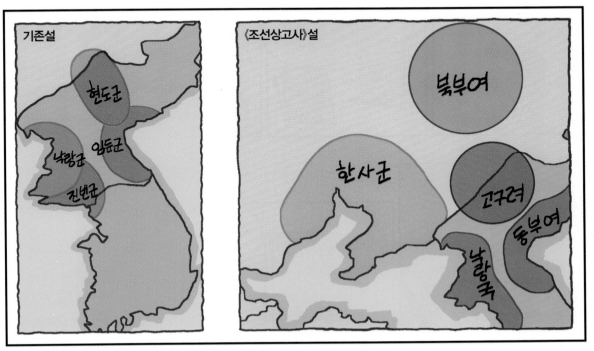

그렇다면 왜 이런 차이가 생겼을까?

첫째, 지명의 같고 다름을 구별하지 못했기 때문이야.

즉, 한 무제가 위씨조선을 멸하여

요동군을 만들고

그것으로 부여와 고구려를 정벌한 것을 대신하려고

뭐 좋은 방법이 없나?

신조선, 말조선의 지명을 가져다가 위씨조선의 옛 지명을 대신하게 하였는데

이걸로 바꿔.

그때 같은 이름의 다른 지명이 생겨난 거지.

패수

우리 거 잖아?

동명이인 아니 동명이역…

패수

두 번째는 옛 기록의 참되고 거짓된 것을 구별하지 못 하였기 때문이야.

예를 들어 한사군의 위치는 《무릉서》라는 책에 자세히 나와 있는데,

내가 이 책을 인용했지.

이 《무릉서》라는 책을 쓴 사마상여라는 사람은 한사군이 설치되기 10년 전에 죽은 자인데 어떻게 한사군의 위치를 알 수 있었겠니?

내가 예지력이 있었나?

그러니까 《무릉서》라는 책은 역사적 사실을 기록한 것이라고 볼 수 없고,

역사적 사실

따라서 이 책을 인용한 《한서》의 기록 또한 잘못된 사실이란 거야.

헤헤… 들켰네!

똑바로 기록해!!

중국과의 전쟁은 여기서 마무리하고 신라의 건국에 대해 알아볼게.

142 조선상고사

4. 계립령 남쪽의 새로운 두 나라

계립령은 지금의 문경새재인데,

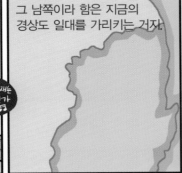

그 남쪽이라 함은 지금의 경상도 일대를 가리키는 거지.

신조선과 불조선이 망하면서 그 유민들이 내려와 마한에 의해 진한부와 변한부로 나누어졌다는 것은 얘기했었지.

이 쪽은 진한부.

이 쪽은 변한부.

이곳은 지리적으로 볼 때 북쪽에서는 태백산이 가로막고,

계립령 일대에서는 서쪽을 막아

빨리 와

언제 저기까지 올라가노?

북쪽에서 고구려와 동부여, 위씨조선과 한나라가 전쟁을 벌일 때도 큰 영향을 받지 않고 풍요롭게 살고 있었어.

마한이 백제에게 멸망당한 뒤에는 형식적으로 백제의 지배를 받고 있었지만

잘하고 있지?

예 그렇요

점차 힘을 키워 진한부는 신라로, 변한부는 6가라 연맹국이 되어 백제의 지배로부터 벗어나기 시작했어.

너무 커버렸어.

신라

우린 6가라.

143

지금의 경상남도 등지에 변한의
12개 자치부가 설치되어 있었는데,

이를 대개 '가라'라고
했어.

'가라'는 큰 못,
또는
큰 늪이라는
뜻이지.

각 부족이 제방을 쌓고, 냇물을 막아, 그
주변에 살았기 때문에 그렇게 부른거야.

이들이 6개의 연맹체로 발전하였는데
그 첫째는 김수로의 김해 금관국이고,
둘째는 고령의 밈라가라인데
미마나, 임나라고도 불렀어.
이들은 그 후손들의 세력이 가장 강하여
대가라 또는 대가야라고도 했어.
셋째는 함안의 안라가라인데
아라가라라고도 하고,
넷째는 함창의 고링가라,
다섯째는 성주의 별뫼가라인데
한자로 하면 '성산가라', 또는 '벽진가라'
라고 하였어.
마지막 여섯째는 고성의 구지가라로
가라 중에서 가장 작아 소가야라고 하였지.

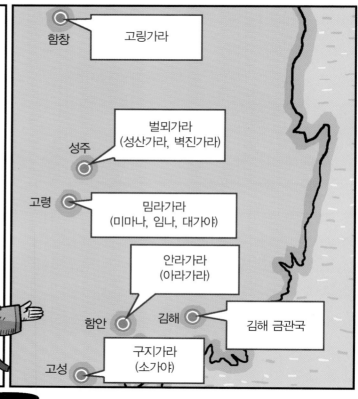

함창 — 고링가라

성주 — 벌뫼가라
(성산가라, 벽진가라)

고령 — 밈라가라
(미마나, 임나, 대가야)

안라가라
(아라가라)

함안   김해 — 김해 금관국

고성 — 구지가라
(소가야)

이 여섯 가라는 처음에는
형제국이었지만

세월이 흘러가면서 서로 멀어져
독립국이 되어 각자 행동을 했어.

이 가라의 역사는 전해지는 것이
정확하지 않고 그 수가 적어서
역사서에 기록된 가라가 이 여섯
가라 중 어느 것을 의미하는지
알 수 없는 경우가 많단다.

조선상고사

이번엔 신라에 대해 알아볼까?

사람들은 보통 신라의 역사는 정확하다고 알고 있지만

그래도 제일 정확하잖아요.

신채호는 오히려 신라의 역사에 거짓 내용이 더 많다고 보았어.

신라가 고구려와 백제를 무너뜨린 후 모든 역사를 신라 중심으로 고쳤기 때문이지.

흰 말이 우는 곳에 큰 알이 있었는데 그 곳에서 나온 사람이 '박혁거세'

다파나국의 왕자였지만 버림받아 상자에 태워져 신라 동해안으로 와 나중에 왕이 된 '석탈해'

닭이 울 때 시림의 금궤 속에서 태어난 '김알지'.

이 세 사람이 각각 박씨, 석씨, 김씨의 시조가 되었는데,

박씨 석씨 김씨

처음에는 박혁거세가 왕이 되었어.

이들은 진한 6부 중 하나인 사량부 출신인데

양부와 함께 정치 실세야.

사량부에서 신라라는 이름이 비롯되었어.

처음부터 서로 간에 결혼을 하는 거대 귀족이었고,

네 색싯감이다. 인사해라.

네… 반가워요.

함께 논의하여 신라의 세 성씨 사람들이 돌아가며 왕을 맡는 나라로 만들었어.

다음 장에서는 고구려의 역사에 대해서 알아보도록 하자꾸나.

이번 장에서 우리가 살펴볼 내용은 조선상고사 원본의 제5편인데

여기에는 기원 1세기경에 등장한 태조대왕이 어떻게 나라의 힘을 키워갔는지,

또 이후 고구려가 한나라, 위나라 등과의 관계에서 어떻게 약해졌는지,

그리고 고구려가 다시 힘을 키워 국력을 떨칠 기초를 어떻게 마련했는지 등에 대한 내용이 담겨져 있어.

그럼 이제 신채호가 그려내는 고구려의 역사 속으로 들어가 보자!

우리 역사상 가장 오래 살았으며,

119살이오.

또 가장 오랫동안 왕위를 차지한 사람이 바로 고구려의 태조왕이야.

그는 7살에 왕위에 올라 94년 동안이나 왕위에 있었고,

죽어서가 아니라

너무 나이가 들어 자기 동생인 수성에게 왕위를 물려주고

눈도 침침해지고

기억력도 떨어져서 더 이상은 못 하겠어.

왕위를 물려받은 수성은 즉위할 당시에 나이가 76세였고,

또 그 뒤를 이은 신대왕 역시 태조왕의 동생인데

형님!

즉위할 때 나이가 77세였어.

이것은 형과 동생의 나이 차이가 거의 20년씩이라는 것인데,

제 동생 이에요.

아들이 아닙니다.

쉽게 수긍이 안 가지?

신채호는 여기에 무엇인가 잘못이 있다고 생각했어.

태조왕의 아버지가 노쇠해서 7세에 태조가 왕위에 올랐는데 동생?

그래서 태조왕과 그의 동생들의 나이를 따져본 결과

그는 태조왕과 차대왕인 수성, 그리고 그 다음 왕인 신대왕의 관계가 형과 동생의 관계가 아니라

형   동생   동생

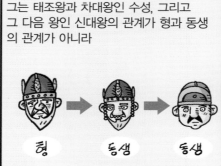

아버지와 서자의 관계라고 보았던 거야.

서자

아버지

서자

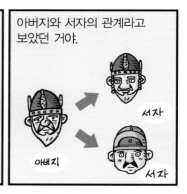

태조왕 때 고구려는 한나라의 침략을 물리치고 요동을 회복하는 등 국력이 강해졌어.

특히 태조왕은 수성에게 군사권을 맡기고 모든 전투를 담당하게 했지.

수성

조선상고사

수성은 121년에 한나라가 쳐들어오자

뛰어난 지략을 발휘하여 막아냈을 뿐만 아니라

오히려 한나라를 공격하여

기습공격으로 치고 빠지는 전략이 성공했어.

예전에 위만조선이 망하면서 한나라에게 빼앗겼던

빨리 내놔.

요동

요동의 옛 땅을 모두 회복하였어.

그렇다면 이 때 고구려는 어떻게 해서 이렇게 강한 국력을 가질 수 있었을까?

신채호는 고구려의 '선배제도'에 그 원동력이 있었다고 설명하고 있어.

선배….

신라의 화랑도 알지?

신라는 화랑도를 바탕으로 하여 국력을 키웠고 마침내는 삼국을 통일하게 되었어.

삼국통일

그 화랑도의 뿌리가 되는 제도가 바로 고구려의 '선배제도'라는 거야.

선배…님

하지만 역사책 어디에도
'선배제도'는 기록되어 있지 않지.

신채호는 역사책 속에 묻혀 있는
작은 기록들을

이두문자로
先(仙)人이라
하는데,

先(仙)은
선의 뜻을,
人은 배의
뜻이야.

언어학적인 방법으로 재해석하여
고구려의 선배제도를 찾아냈어.

그의 주장에 의하면

고구려의 관직에는 '조의', 선인'이라는
것이 있는데

여기서 말하는 '선인'이 바로 선배제도를
말하는 것이야.

이것은 원래 수두시대부터
있었던 것인데

그 당시에는 '선배'라는 것이
신수두를 따르는 사람들을 가리키는
보통 명칭이었어.

그런데 고구려의 태조왕 때에
이르러

매년 3월과 10월에
하늘에 제사를 지낼 때

군중들을 모아 놓고 칼춤을 추기도 하고 활을 쏘기도
하고, 또 택견이나 사냥 시합을 하였는데

애쿠
이크

시합에서 승리한 사람을
'선배'라고 불렀지.

선배!
선배!
선배!
선배!

조선상고사

이 '선배'들에게는 나라에서 집과 먹을 것을 주어 가족의 생계를 걱정하지 않게 한 대신

오로지 국가와 사회를 위해 어떤 어려움에도 불구하고 자기 자신을 바칠 수 있도록 하였어.

하낫!! 둘!!

이들은 보통 머리를 깎고 검은 천을 허리에 둘렀지.

대장은 신크마리, 두대형, 태대형이라 불렸지.

나라에 전쟁이 일어나면 바로 이 신크마리가 선배들을 전부 불러 모아 전쟁터에 나가 죽기를 각오하고 싸웠어.

나를 따르라.

선배제도는 고구려가 국력을 키우는 데 중요한 요소가 되었어.

태조왕과 그 뒤를 이은 차대왕 때에는

이 '선배제도' 외에 국가의 기틀을 마련하기 위하여

국가의 기틀

이전부터 내려오던 제도들을 정비하였는데

제도

정비

우선 '신가', '팔치', '발치' 등 세 명의 재상을 두었어.

역사책에서는 각각 '상가(相加)', '패자(沛者)', '좌보(左輔)·우보(右輔)'라고 기록되지.

이 제도는 옛날의 삼조선(신조선, 말조선, 불조선)을 모방한 것이야.

신조선		신 가
말조선	→	팔 치
불조선		발 치

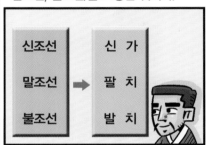

또 전국을 동, 서, 남, 북, 중의 5부로 나누어,

신가가 중부를 다스리고

동, 서, 남, 북의 4부는 모두 중부에 속하게 하였어.

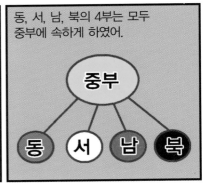

그리고 5부 안에는 각각 다시 작은 5부를 두었고,

각 부마다 또 재상과 관리를 두어 다스리게 하였어.

이처럼 태조왕에서 차대왕 때에 이르는 동안에 마련한 여러 제도를 바탕으로

고구려는 국력을 키워

동아시아에서 한나라의 세력을 물리치고

엄마야~

강력한 나라로 성장할 수 있었던 거야.

얼쩡거리면 알지?

태조왕, 차대왕, 신대왕의 뒤를 이어서 고국천왕 때에는

고구려 최고의 재상이라고 하는 을파소가 등장했어.

고국천왕 때에 왕후의 친척인 어비류와 좌가려 등이

조선상고사

왕의 총애를 등에 업고 사람들을 괴롭히자

이랴~ 낄낄

왕은 이들을 내쫓은 후에

새로운 사람을 추천하라고 신하들에게 명령했어.

그러자 여러 신하들은 안류를 천거하였는데

안류는 오히려 사양하며 서압록곡에 사는 을파소라는 사람을 추천하였어.

처음에 고국천왕은 을파소가 시골에 묻혀 있던 사람이라 그리 높지 않은 '중외대부'의 관직을 주었어.

중외대부

겨우?

그러자 을파소는 왕의 제안을 거절하였어.

어이~

갑니다.

왕은 을파소의 뜻을 파악하고서는

신하들 중에 가장 높은 자리인 '신가', 즉 '상가'로 임명하여 국정의 모든 것을 맡겼어.

됐나?

네.

처음엔 을파소가 하루아침에 높은 자리에 오르자 많은 신하들이 시기하고 질투하였지만

을파소 말 잘 들어라.

못 해! 장난하나?

변방에서 근무할 관리가 더 필요하다던데….

왕은 오히려 을파소를 더 크게 밀어주었어.

환영 회식 언제 할까요?

을파소의 업적 중 가장
대표적인 것은 진대법이야.

진대(賑貸)

'어려운 사람을
구제하기 위하여
곡식을 빌려준다'

어느 날 고국천왕이 사냥을 갔다가 오는 길에

길가에 앉아 울고 있는
사람을 만났어.

왕이 말에서 내려 그 사람에게
우는 이유를 물어봤어.

저는 어머니를 모시고
살아가고 있사옵니다.

그런데 올해 농사가 너무
안 되어서 품팔이도
할 수 없을 정도입니다.

왕은 궁으로 돌아와 을파소에게 이 사람의
이야기를 해 주며 방법을 찾아보라고 하였지.

이에 을파소는 곡식이 부족한 봄에 사람들에게 나라에서
곡식을 빌려 주었다가

추수한 다음에 갚도록 하는
진대법을 건의하였고,

이로 인해 어려운 사람들이 많은 도움을
받게 되었어.

와!
밥이다!

백성들을 위해 좋은 제도를
만들어 낸 훌륭한 재상이라고
할 만하지?

조선상고사

태조왕 이후 잘 나가던 고구려도 한 번의 시련을 맞이하게 되었는데

그 시련은 고국천왕의 죽음으로부터 비롯되었어.

고구려에서는 왕이 아들이 없이 죽으면 보통 그의 동생이 왕위를 이었는데,

왕 → 왕위 → 동생

아들

고국천왕이 아들이 없이 죽은 후에 왕후 우씨의 계략에 의해

아무에게도 알리지 말라.

첫째 동생인 발기가 아니라 둘째 동생인 연우가 오히려 왕후 우씨와 결혼하고 왕위에 올라 산상왕(연우왕)이 되는 일이 벌어졌어.

이건 배신이야.

정치가 원래 그래요

그러자 첫째 동생으로서 당연히 왕위에 오를 것이라고 생각했던 발기는 순나부 소속의 3만여 명을 거느리고

웰 컴!!

당시 고구려와 경쟁관계에 있던 한나라의 요동 태수 공손도에게 투항하였어.

평소에 고구려를 침략할 기회를 엿보고 있었던 공손도는

쩝, 탐나 는데….

왕의 동생이 많은 사람들을 데리고 오자

이들을 이용하여 고구려를 침략하였지.

배신자는 나와라!!

손 안 대고 코풀게 됐어.

이 전쟁에서 발기는 막내 동생 계수에게서 '나라를 팔아먹은 자'라고 비난을 받고

마음에 크게 찔림을 받아

자살하고 말았지.

고구려는 한나라 세력을 막아냈지만

아쉽다.

발기가 공손도에게 투항하며 바친 요동 지역은 끝내 회복하지 못하고 말았어.

그래도 요동 지역은 내 것이니까.

손해 나는 장사는 아니었어.

산상왕이 죽고 그의 아들 동천왕이 즉위할 때에

중국은 우리가 잘 아는 삼국시대였어.

조조의 위나라,

유비의 촉나라

손권의 오나라,

여기에 더하여 요동 지역을 차지한 공손씨가 큰 세력을 유지하고 있었어.

그러자 고구려는 요동을 빼앗아간 공손씨를 무너뜨리기 위하여

어이, 뭐해?

위나라와 서로 돕기로 약속을 하고

동맹체결

공손씨를 멸망시킨 후에 요동 땅은 고구려가 차지하기로 하였어.

요동은 우리 것!

그래서 위나라는 관구검 등의 장수를 보내어 요동의 공손씨를 공격하였는데

위나라와 고구려 양쪽에서 공격을 받게 된 공손씨는 결국 망하고 말았지.

하지만 위나라는 약속을 어기고 요동 땅의 한조각도 돌려주지 않았어.

내 거야.

돌려 줘!

요동

그러자 고구려의 동천왕은 자주 위나라를 공격하였고,

퍽!

돌려 달라니까!

마침내 서안평을 점령하였지.

서안평

이와 같은 상황에서 결국 위나라와 고구려는 전쟁을 선포하였어.

한 판 붙자!!

위나라는 관구검을 선봉장으로 내세워 고구려를 침략해 왔어.

고구려의 동천왕은 비류수에서 맞서 싸워 크게 승리하였지.

푸하하. 별 거 아니구면.

처음에 쉽게 승리해서인지 동천왕은 자만하였고,

어깨 힘 좀 빼시옵소서

결국 많은 군사를 뒤에 남겨 놓고 5천 명의 기병을 거느리고 싸우러 갔다가

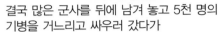

너희들은 그냥 쉬고 있어.

오히려 크게 패하여

퍽!
파
퍼벅!

수도를 빼앗기고 몇몇 장수들과 더불어 남갈사 (동부여 지역)까지 도망가게 되었어.

그 사이 위나라 군사들은 고구려의 수도를 완전히 파괴하였어.

이 때 북부 사람 유유가 항복하는 것으로 위장하여

항복의 의미로 음식을 가져왔어

적진에 들어가 위나라 장수를 칼로 찔러 죽이고

반격을 하여 겨우 나라를 회복하게 되었지.

서라!!

그후 동천왕은 대동강가의 평양으로 천도하였어.

평양

일반적으로 동천왕 때 평양으로 천도한 기록은 당시 평양 지역에는 낙랑이 있었기 때문에 잘못된 것으로 보고 있지만

현도
임둔
낙랑
진번

동천왕의 평양 천도는 고구려가 서북쪽의 중국이 아니라 남쪽의 백제와 신라, 그리고 가야 등과의 접촉이 더 많아지게 되는 결과를 가져왔어.

잘 가.

왜 아래로 내려오는 거야?

쟤 뭐야?

신채호는 낙랑을 비롯한 한사군은 요동 유역에 있었다고 보기 때문에 동천왕 때의 평양 천도를 자연스러운 사실로 인정할 수 있는 거야.

한사군

고구려

동부여

그러므로 평양 천도는 고구려의 역사에서 매우 중요한 사건이야.

동천왕의 천도 이후 고구려가 약해진 틈을 타 선비족이 힘을 키우기 시작했어.

당시 선비족은 우문씨, 모용씨, 단씨, 탁발씨의 4부로 나뉘어 서로 겨루고 있었는데

우리 모용씨의 모용외가 가장 용맹하고 강하였지.

모용외는 북부여를 공격하여 무너뜨리고 호시탐탐 고구려를 칠 기회를 엿보고 있었어.

이때 고구려의 왕은 봉상왕이었는데

'고노자' 라는 장수가 수차례 모용외의 침입을 막아냈어.

퍼 억!

모용외가 고구려 공격을 포기하고, 나라가 안정을 되찾자

얼씬도 하지 마.

봉상왕은 교만해지고 안이해져서 국정을 소홀히 하고 왕궁을 건축하고 꾸미는 데에만 관심을 가지게 되었지.

결재

그래서 사람들은 갈수록 살기가 어려워졌어.

꼬르륵-

휴웅

창조리를 비롯한 여러 신하들이 임금에게 여러 차례 충고를 하였지만 듣지 않자

폐하, 국정을 살피옵소서.

안 들려.

결국 재상이었던 창조리는 봉상왕을 폐위시키고

그의 조카인 을불을 왕으로 세웠는데 그가 바로 고구려의 부흥을 이끈 미천왕이야.

미천왕

미천왕은 왕족이었지만 순탄하게 왕위에 오르지 못 했어.

왕 되기 힘들다.

그의 삼촌이었던 봉상왕은 처음부터 의심과 시기심이 많아서

모두 없애 버려라!!

자기의 왕위를 넘볼 수 있는 사람들은 모두 제거하였지.

악!

으악!!

봉상왕의 조카인 을불은 봉상왕의 이런 횡포를 피해 도망가서

을불이 게 있느냐?

남의 집 머슴을 살기도 하고,

네, 주인님 부르셨습니까?

소금 장수를 하기도 하며 어렵게 지냈어.

소금 사려~

발기의 반란이 있었던 197년 이후부터 고국원왕 말년인 370년 경까지 시대가 고구려가 힘이 약해지는 시기이지만

오히려 미천왕이 다스리던 300년부터 331년까지 31년 동안만큼은 고구려의 힘이 특별히 강해지는 시대였어.

그가 왕위에 있는 동안 주로 북방의 선비족인 모용씨와 투쟁하였는데,

그는 발기가 공손씨에게 투항하며 바친 요동지역을 회복하기 위해 노력하여

요동

즉위 16년 만에 현토성을 점령하였으며,

현토성

그 과정에서 낙랑 또한 점령하여 다시 회복하였어.

낙랑

사료가 부족하여 그 과정을 자세하게 파악할 수는 없지만

이때 고구려는 요동의 거의 모든 지역을 차지하였을 것으로 볼 수 있어.

한편 미천왕이 죽고 즉위한 고국원왕은

서북쪽의 선비족을 치고 영토를 확장하기 위해

지금의 지안현에 새로 환도성을 쌓고 도읍을 이곳으로 옮겼어.

그러자 선비족의 모용황은 고구려가 쳐들어 올 것을 예상하고 선수를 쳤어.

까꿍- 놀랬지?

고국원왕은 선비족의 침입에 안이하게 대처하다가

수도인 환도성이 함락당하는 일을 겪고 말았어.

크-큭 분하다.

이후 고구려는 수십 년 동안 약국이 되어

쿨럭 쿨럭

고구려

대륙에 대한 계획을 부득이하게 포기할 수밖에 없었어.

다음 장에서는 고구려와 남방 국가들과의 싸움에 대해 알아볼게.

제9장

고구려와 남방 국가들과의 충돌

이번 장에서는 고구려가 광개토태왕과 장수왕을 거치면서 전성기를 맞이하였을 때의 이야기를 주로 하려고 해.

광개토태왕은 말할 나위 없이 우리나라에서 가장 넓은 영토를 개척한 왕이야.

이름 자체가 영토를 크게 개척한 왕이라는 뜻이지.

장수왕은 평양으로 천도하여 남쪽으로 그 세력을 더욱 확장하였던 왕이었고.

이 두 왕의 시대를 통하여 고구려의 힘은 역사상 가장 강성해진 반면

그 동안 나름대로 우호적인 관계를
맞어왔던 신라와 가야 등은

고구려가 너무 힘이 세어져서

힘을
주체할 수
없어.

자기 나라를 없애버릴지도
모른다는 두려움 때문에

오히려 서로 연합하여 고구려에
맞서는 결과를 가져왔어.

꽉 잡아.

이 과정에서 우리는 강성해진 백제의
모습도 함께 살펴볼 수 있어.

나름 운동
좀 했지.

그럼 먼저 고구려와 백제의
관계부터 살펴보자.

추모를 도와 고구려의
건국을 도왔던 소서노가

추모와 갈라진 이후 남쪽으로 내려와 세운
나라가 바로 백제야.

그러니까 고구려와 백제는 같은
나라에서 갈라진 것으로 볼 수 있지.

이렇듯 두 나라는 서로 가까운 나라였지만 건국
이후 수백 년 동안 별다른 접촉이 없었어.

만날
기회가 없어.

그것은 두 나라 사이에 남낙랑과 동부여가 있어서
둘 사이의 장벽이 되었기 때문이었어.

남낙랑 동부여

하지만 백제의 책계왕과 대방왕 장씨 사이에 사위와 장인의 관계가 형성되면서

우리 사위~

장인 어르신-

백제와 대방의 사이가 가까워졌고,

그런 상황 속에서 285년에 고구려가 대방을 침략해 오자

백제가 대방을 도우면서 처음으로 둘 사이에 충돌이 일어나게 되었어.

이후 고구려는 서북방에서 일어난 선비족 모용씨의 침입을 막느라

꺼져!!

남쪽에는 신경을 못썼어.

여긴 신경쓰지 말고 열심히 싸워.

그러다가 고국원왕이 선비에게 패하여 환도성을 빼앗기며

북쪽으로의 진출이 어려워져 다시 남쪽으로 진출을 꾀하자

이때부터 고구려와 백제 사이에는 잦은 충돌이 일어나기 시작했어.

툭

고국원왕은 369년에 보병과 기병 2만여 군사를 거느리고 반걸양이라는 곳까지 이르렀는데,

여기는 예성강 하구의 벽란도였어.

예 성 강

조선상고사

이때 백제의 왕은 근초고왕이었고

그의 아들 태자 근구수가 고구려에 맞서 싸우기 위해 출정하였어.

이 전투에서 근구수는 용감한 정예병들을 뽑아

고구려군을 기습하여 크게 이겼는데

엄마야

꼼짝 마!

이때 대동강 상류 지역까지 백제가 차지하게 되었어.

대동강

고국원왕은 이 때의 전투의 패배를 갚기 위해

두고 보자!!

3년 후에 또 다시 군사를 일으켰지만

고국원왕이 백제 군사의 화살에 맞아 사망하는 등

크게 패하고 말았어.

이렇듯 고구려와 백제와의 초기 전투에서는 백제가 크게 승리하였는데

그 중심에는 근구수 태자가 있었어.

이때 백제는 세력을 크게 넓히며 바다 건너 중국 땅에까지 진출할 정도였거든.

니 하오

근구수 태자는 왕이 된 후 바다를 건너 중국 대륙의
모용씨의 연나라와 부씨의 진을 정벌하고
지금의 요서, 산동, 강소, 절강 지역을 차지하여
광대한 영토를 마련하였어.

이런 이야기는 중국의 역사책과
《삼국사기》에는 실려 있지 않아.

다만 《양서》와 《송서》, 그리고
《자치통감》 등에 부분적으로 남아 있어.

"백제가 요서지방의
진평군을 쳐서 차지하였다"

근초고왕과 근구수왕의 활약으로 영토를
크게 확장시키고 국력을 키웠던 백제는

그 이후에 진사왕 때에 이르러
국력이 크게 약해졌어.

그 이유는 진사왕이 고구려의
침입을 막는다는 구실로

백성들을 부려 긴 성을 쌓았을 뿐만 아니라 궁궐을 크고
화려하게 꾸미는 일에 몰두하면서

나라의 창고가 모두 바닥나고, 백성들의 원망을
듣게 되었기 때문이야.

힘 들어서
못 하겠어.

백제의 진사왕과 같은 시기의
고구려의 왕은 고국양왕이었는데

그는 자신의 할아버지였던 고국원왕이
백제와의 싸움에서 전사한 원수를
갚기 위해

벼르고 있었어.

하지만 그의 재위 기간에는
모용씨 중에
모용수라는 사람이

다시 크게 세력을 키워
나라를 '연'이라 하고

고구려와 요동에서 잦은 전쟁을 벌였고,

또 몽골 등지에서 출현한 과려족이
고구려의 변방을 자주 침략하였기
때문에

남쪽의 백제와 겨룰
기회가 생기지 않았지.

뭐 굳이
겨룰
필요가….

그러다가 태자 담덕이 왕위에 오르기
직전에 직접 군사를
거느리고 백제를
쳐서

석현성, 관미성 등 10여 성을 빼앗으며
옛 원한을 갚기 시작했어.

이처럼 태자 시절부터 용맹하였던 담덕이 왕위에 오르면서
이제 고구려의 대 원정이 본격적으로 시작돼.

광개토태왕이 왕위에 올랐을 때 변경의 걱정거리는 과려족이었어.

어이~

과려족은 후세의 역사가들이 대개 거란족으로 보고 있지만

신채호는 흉노족의 후예로 보고 있어.

흉노족

이들이 지금의 몽골 등에 흩어져 살며 잠시 강성하였었는데

광개토태왕은 이들을 쳐서 6~7백 개의 부락을 깨뜨리고

소와 말과 양떼를 노획하여 돌아왔다고 광개토태왕릉비에 기록되어 있어.

한 마리 잡아 먹고 갈까?

이랴~

그렇다면 이 과려족이 살던 곳은 어디였을까?
광개토태왕이 과려족을 치기 위해
파부산(巴富山)과 부산(負山)을 지나
염수(鹽水)에 이르렀다고 했는데 신채호는
이 지역을 지금 중국의 내몽골 자치주에 있는
음산산맥과 감숙성 서북쪽의 아랍선산이라고 보았어.

어때? 아주 멀리도 원정을 했지?

국내성

음산산맥

조선상고사

광개토태왕은 과려족을 정벌하고
돌아오는 길에

백제와 왜에 대한
공격을 감행하였어.

내 얼굴 보니
반가워서
눈물 나지?

왜냐하면 당시 백제 진사왕은 전에
담덕에게 10여 성을 빼앗긴 이후

왜와 친선 관계를 맺고

2:1로 싸우자고?

고구려에 대항하기 위한 동맹을
체결하였거든.

그래서 태왕은 수군으로 하여금 바닷가와 강가의
여러 성들을 공격하게 하였고,

자신은 몸소 무장을 하고
아리수*를 건너 크게 승리하니

*아리수 – 한강의 옛 이름.

당시 백제의 왕이었던 아신왕은 자기
동생과 10명의 신하들을 인질로 바치고

남녀 1천 명과 가는 베
1천 필을 바쳤으며,

앞으로 마치 종이 주인을 섬기듯
고구려를 섬기겠다는 약속을 하며
항복하고 말았어.

다시는 까불지
않겠습니다.
- 아신왕 -

하지만 백제는 그 뒤에도
고구려에 대한 원한을 품고,

고구려가 북방의 선비족과
전쟁을 할 때마다

그 틈을 노려 왜병을 불러 들여
고구려를 침입하였어.

또 당시 신라는 힘이 약하여
고구려에게 많이 의지하고
있었는데

이 때문에 백제가 왜병으로 하여금
수시로 신라에 쳐들어가게 하였지.

그러자 광개토태왕은 신라에 쳐들어온
왜를 습격하여 깨뜨리기도 하였고

대방 지역까지 올라온 왜군을
크게 무찌르기도 하였어.

안 설래?

그래서 광개토태왕 이후 남쪽은
오랫동안 평화를 유지하게 되었어.

광개토태왕은 무예가 출중하고
품은 뜻이 원대한 사람이었지만

실제로 같은 민족에 대한 사랑이
많은 사람이었어.

백제를 공격하였지만
멸망시키지 않은 것도
바로 그 때문이지.

또한 광개토태왕의 목적은 북방의 선비족을 정벌하여 북쪽으로 진출하는
것이었기 때문에 남쪽은 언제나 부차적인 문제였어.

조선상고사

그래서 광개토태왕은 고구려의 중요 도시 중 하나인 안시성을 거점으로 삼아

선비족인 모용씨와의 전쟁을 10여 년간 추진하였는데

싸울 때마다 선비족의 병사들을 크게 무찔렀고

마침내 요동으로부터 요서까지의 땅을 고구려가 차지하게 되었지.

고구려

하지만 이렇게 광대한 영토를 차지했던 광개토태왕은 39세라는 젊은 나이에 갑자기 죽고 말았어.

광개토태왕이 이룩한 업적은 그의 아들 장수태왕에게 그대로 이어졌지만

업적

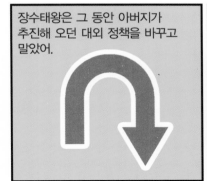
장수태왕은 그 동안 아버지가 추진해 오던 대외 정책을 바꾸고 말았어.

이것이 역사의 커다란 변화를 가져오게 하였던 거야.

장수태왕은 아버지의 북진 정책을 버리고 남진정책을 추진하였어.

남진 정책

북진

백제가 여전히 힘이 남아 있고, 신라도 점점 힘을 키워가는 상황에서 남쪽을 신경 쓰지 않을 수 없었기 때문이지.

힘을 못 쓰게 눌러버려야 해.

즉 광개토태왕은 선비족, 과려족과 같은 다른 민족은 정복하고, 동족은 자연히 고구려에게 복종하도록 하였지만,

장수태왕은 먼저 동족의 나라들을 통일한 후에 다른 민족과 싸워야 한다고 생각한 거지.

꿇어!!

그래서 수도를 평양으로 이동하고

먼저 백제를 압박하였지.

백제 살려~!

광개토태왕은 무예가 뛰어나고 전략이 우수했던 왕이었지만

장수태왕은 오히려 술수를 부리고, 잔꾀를 내어 상대방을 몰아세우는 음모가에 가까운 스타일이었어.

그 대표적인 예가 백제 개로왕과의 전투인데

장수태왕은 평양으로 천도한 후 백제를 정벌하기 전에 먼저 백제의 힘을 약화시키기 위해 사람을 구했어.

백제를 무너뜨릴 인재 구함.

이 때 등장한 사람이 승려 도림이었어.

그는 백제의 개로왕이 바둑을 즐겨한다는 사실을 이용하여

자신이 거짓으로 고구려에 죄를 짓고 도망 온 자처럼 속여 개로왕과 바둑으로 친해졌어.

허어…. 또 졌네.

조선상고사

어느 정도 개로왕의 신임을 받게 된 도림은

개로왕을 부추겨 궁궐을 크고 화려하게 짓게 하고,

성곽을 새로 쌓거나 수리하게 하였지.

그러자 백제의 국고는 바닥 나 버렸고, 군수물자도 모두 고갈되어 버렸어.

성공!!

자기의 계략이 성공한 것으로 여긴 도림은

고구려로 다시 돌아와 장수태왕에게 이 사실을 알렸고,

장수태왕은 3만여 명의 군사를 거느리고 백제를 침공하였어.

개로왕은 뒤늦은 후회를 하였지만 이미 일을 돌이킬 수 없게 되자

허억! 속았다.

자기 아들 문주를 도망가게 하여 나라를 잇게 하고

자기 자신은 한성을 지키다가 고구려 병사의 칼에 죽임을 당하고 말았지.

장수태왕의 남진정책은 일시적으로 백제를 격파하였으나

오히려 신라, 백제, 가래(가야)의 연맹을 초래하였어.

처음에는 신라와 백제가 서로 동맹을 맺었는데

개로왕이 죽고 백제가 남쪽으로 밀려 내려오자

신라는 1만여 명의 병사를 출전시키기도 하였지.

그리고 이때에 가라는 6개 나라 중에 임나와 아라 두 가라만이 강성할 때였는데

이들도 고구려가 백제를 침략하고 남쪽으로 진출하자

스스로를 보호하기 위하여 신라와 백제의 동맹에 참여하게 되었어.

이 4국의 동맹으로 장수태왕의 남진 정책은 그 뜻을 다 이루지 못하였고,

에고… 힘 들어라.

백제와 신라가 다 나라를 보존할 수 있었지.

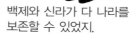

살았다.

이것은 조선 역사상 중요한 사건이라고 할 수 있어.

이후 백제는 다시 힘을 키워 해외로 진출하였고,

40여 년 지속된 이 동맹이 깨어진 이후

신라는 가라를 침략하여 복속시키기 시작하였어.

쩝 쩝

가라

백제가 다시 힘을 키우기
시작한 것은 동성대왕 때였어.

그는 성품이 성숙하고

백발백중의 활솜씨를 갖고 있었다고 해.

그는 고구려와 위나라를 물리쳐
국가의 위기를 이겨냈을 뿐만 아니라

까불고
있어.

바다를 건너 중국의 산동, 절강
등지를 점령하였고,

백제

중국

나아가 일본을 속국으로
만들었어.

신채호는 그의 이 업적이
크게 기록되지 않은 이유가

패배한 사실을 기록하기 싫어하는
중국 역사서의 춘추필법과

또 백제를 미워했던 신라의 역사가들이
이 기록을 지워 버렸기 때문이라고
보고 있어.

다만 동성대왕이 남제에 보낸 국서가 남아 있어서
그 사실을 부분적으로나마 알 수 있게 된 거지.

(백제 군사가) 야간에 습격하여 번개같이
공격하였더니 흉리(북위)가 크게 당황하여
무너지는 것이 바닷물로 쓸어버리는 것
같았습니다.
말을 물아 패주하는 적을 추격하여 베어죽이니
그 시체가 평원을 붉게 물들였습니다.

- 남제서 중 일부 -

장수태왕은 남쪽의 네 나라가 서로 동맹을 맺어
공격하기 어렵게 되자 위나라의 힘을 빌려
백제를 치려 했어.

도와줘.

고구려는 백제가 고구려 땅을 빼앗아 갔다고 하며

빨리 땅 내놔.

중국에 귀한 선물을 바칠 수 없게 되었어.

은근히 위나라가 백제를 공격할 것을 유도했어.

백제 좀 혼내 줘.

그러자 위나라는 두 차례나 군사를 보내어 백제를 공격하였지만 모두 패하였고,

오히려 백제는 이를 계기로 해외로 진출할 수 있는 기회를 갖게 되었지.

《구당서》에는 동성대왕 당시 백제의 영토를 이렇게 기록하고 있어.

"서쪽으로는 바다를 건너 월주에 이르고, 북으로는 바다를 건너 고구려에 이르고, 남으로는 바다를 건너 왜에 이르렀다"

고구려

제 신라

가야

백

서해 바다는 백제의 지중해와 같은 모습을 하고 있지?

항상 나라가 잘 되면 방심을 하게 되지.

나 멋있지?

사냥을 즐기며 나들이를 하다가

동성대왕도 말년에는 사치에 빠지고

제발 국정을 · · ·

결국에는 자객의 칼에 찔려 목숨을 잃고 말았어.

그렇다면 백제의 광대했던 영토는 어떻게 되었을까?

그것에 대한 자세한 기록은 나와 있지 않지만 신채호는

아마 성왕 때 고구려에게 패하고

나중에는 신라에게 배신을 당하여

이런 배신자!

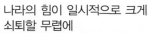

나라의 힘이 일시적으로 크게 쇠퇴할 무렵에

해외의 식민지들도 모두 빼앗겼을 거라고 보고 있어.

식민지

자, 지금까지 고구려의 광개토태왕과 장수태왕의 전성기를 중심으로

고대의 국가들이 어떻게 대응해 왔는지에 대해 살펴보았어.

다음 장에서는 신라가 어떻게 힘을 키워 갔는지,

그래서 고구려, 백제, 신라의 세 나라가

어떻게 경쟁하여 나라를 이끌어 갔는지에 대해서 살펴볼 거야.

제10장

삼국 혈전의 시작

이제부터는 삼국 중에 가장 약했던 신라가

쿨럭
쿨럭

어떻게 힘을 키워갔는지에 대해서 알아보려고 해.

사실 신라는 삼국 중에서 나라의 건국도 가장 늦었고,

애들은 가라.

힘도 약해서 매번 고구려가 도와주던 나라였는데,

누가 건들면 말해.

고구려의 보호 아래 그 힘을 키운 후에는

백제, 가라 등과 연합하여 오히려 고구려에게 맞서게 되었지.

어-이!

그럴 수 있었던 원동력이 어디에 있었을까?

신채호는 바로 '화랑제도'에 그 힘이 있다고 보고 있어.

옛 기록을 살펴보면 화랑들의 이야기를 기록한 책들이 많이 있었어.

선사(仙史)
화랑세기
선랑고사(仙郎 古事)

하지만 이 책들은 실제로 남아 있지 않아서 그 내용을 알 수는 없지.

그래서 화랑에 대해서 알아보려면 《삼국사기》나 《삼국유사》의 내용을 찾아봐야 하는데

이 책들은 잘못된 것이 많아서 그 내용을 잘 살펴서 읽어야 해.

그 예로 《삼국사기》〈열전〉에서 사다함이 화랑으로 전쟁에 참가한 것이 진흥대왕 23년의 일인데,

《신라본기》에 보면 화랑을 처음 둔 것이 진흥대왕 37년이라고 되어 있는 것을 들고 있어.

진흥대왕 37년에 화랑을 처음으로 설치했는데 어떻게 그보다 앞선 23년에 화랑 사다함이 나올 수 있었지?

그렇다면 옛 기록은 왜 잘못되었을까?

신채호는 《삼국사기》를 지은 김부식이 유학자로 중국을 높이는 자였기 때문에

중국

우리 것

우리 것을 가볍게 여겨서였다고 생각했지.

《삼국유사》를 쓴 일연은 승려이다 보니

화랑의 이야기를 잘 몰랐기 때문이라고 하였어.

묻지 마. 잘 모르니까.

그럼 이제부터 신채호가 설명하는 화랑제도 안으로 들어가 볼까?

화랑

화랑은 국선(國仙)이라고도 하는데

국선(國仙)

이것은 고구려의 '선배' 제도를 본떠 만든 거야.

'선배'는 이두문자로 '선인(先人)' 또는 '선인(仙人)'이라고 했다는 것은 앞에서 고구려의 선배제도를 얘기할 때 말한 적이 있지?

선배···님

최강선배

화랑을 '국선(國仙)'이라고 한 것은 고구려의 선인(仙人)과 구별하기 위해 '국(國)'을 붙인 것이고,

仙人 國仙

화랑이라고 한 것은 그들이 입는 옷에 꽃 장식을 했기 때문이야.

또 남자인 화랑 외에 여자로 구성된 '원화'가 있었어.

남녀를 조화시키기 위한 것이지.

사람들은 국선의 '선(仙)'이 우리가 흔히 알고 있는 신선(神仙)이나 선녀(仙女)처럼 도교와 관련 있다고 생각하는데

이는 잘못된 거야.

'신선 선(仙)'이라는 한자 때문에 같다고 생각하면 안 돼.

仙 仙

국선은 늘 전쟁에 참여하거나

또는 산과 물을 찾아 수련활동을 하기 때문에

이크~ 애크~

도교에서 말하는 무위*나 불언**과는 거리가 멀지.

*무위無爲 – 인위적인 행동을 하지 않는 것. **불언不言 – 말하지 않는 것.

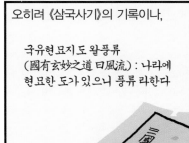

오히려 《삼국사기》의 기록이나,

국유현묘지도 왈풍류
(國有玄妙之道 曰風流) : 나라에
현묘한 도가 있으니 풍류 라한다

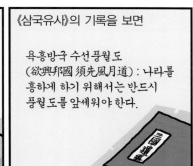

《삼국유사》의 기록을 보면

욕흥방국 수선풍월도
(欲興邦國 須先風月道) : 나라를
흥하게 하기 위해서는 반드시
풍월 도를 앞세워야 한다.

국선은 풍류(風流)를 기본 가르침으로 하였어.

풍류(風流)
① 정의
‥‥‥‥‥

풍류 또는 풍월도는 시와 음악을 말하는 거야.

화랑은 대개 다른 학문과 기술을 닦는 데 힘을 썼지만

전공선택 과목이라 할 수 있어.

가장 힘을 기울인 것은 바로 시와 음악이지.

이건 필수 과목이야.

향가의 이룰

왜냐하면 이것들을 인간 세계를 교화하는 데 가장 중요한 수단이라고 여겼기 때문이야.

오-빠~

《삼국사기》나 《삼국유사》 등에는 향가가 많은데

조선 시대에 많이 없애 버려서 지금은 25수만 전해지지.

이 향가들은 거의 다 우리 화랑들이 쓴 거야.

이렇게 신라는 화랑들이 중심이 되어 시와 음악으로 사람들을 가르치고, 그 마음을 위로하여

작은 나라에서 마침내는 정치적으로나 군사적으로나 문화적으로 고구려, 백제에 맞설 수 있는 강한 나라로 성장하게 되었던 거지.

그럼 이제 이렇게 화랑을 통해서 국력을 키운 신라가

어떻게 가라를 멸망시키고

나아가 백제와 고구려와 각축을 벌여갔는지에 대해서 살펴보자.

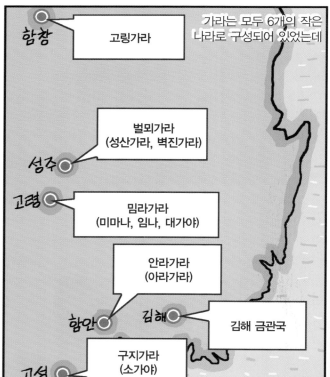

함창 — 고링가라

벌뫼가라 (성산가라, 벽진가라) — 성주

고령 — 밈라가라 (미마나, 임나, 대가야)

안라가라 (아라가라)

함안 · 김해

김해 금관국

구지가라 (소가야) — 고성

가라는 모두 6개의 작은 나라로 구성되어 있었는데

처음엔 신라보다도 더 힘이 강했어.

이리 와

신라 파사 이사금 때 그 주변의 작은 나라인 음즙벌국과 실직국 사이에 영토 분쟁이 있었는데

서로 자기네 땅이라고?

신라에서 이 문제를 해결하지 못하자

끙- 끙-

금관국의 김수로가 와서 한마디로 결정하고,

모두 이 결정에 기꺼이 복종하였다고 《삼국사기》에 기록돼 있어.

하지만 이후 금관국은 나라의 힘이 날로 약해져서

결국 10대 왕인 구해가 신라 법흥왕에게 항복하면서 나라가 망했지.

가라의 역사는 전해지는 기록이 적어서 자세히 알기가 어렵다는 아쉬운 점이 있어.

가라의 역사

안라가라도 그 연대와 사실이 거의 빠지고 없지.

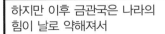

아라가라 라고도 해.

함안

안라가라는 고구려의 광개토태왕이 신라를 구원하러 왔을 때

신라와 함께 고구려를 도와 백제에 대항했던 나라인데

신채호는 안라가라의 멸망 시기를 이렇게 보고 있어.

아마 지증왕 때에 이사부와 같은 신라 장수에 의해 망했을 것이야.

밈라가라는 대가야라고 알려져 있는데

고령

딩기딩-

처음엔 신라와의 전쟁에서 거의 승리할 정도로 힘이 강했어.

그러나 3세기경에 밈라가라에 속해 있던 강가의 여덟 나라(포상 8국)가 배반하자

밈라가라는 신라의 도움으로 겨우 막아냈는데

이 이후로 밈라가라는 힘이 약해져 신라에 대항하지 못했어.

내 말 잘 들어.

이후 6대왕인 가실왕대에 이르러 신라의 공격으로 망하고 말았지.

신채호는 밈라가라가 망한 이후 그 왕인 가실왕과 백성들이 신라에 불복하여 지금의 충주 지방으로 달아나

충주

백제의 도움으로 계속 나라를 유지하였다고 보고 있어.

그 이유는 《삼국사기》에 보이는 강수와 우륵이 모두 충주 지역에 살던 사람인데

그들의 근본이 밈라가라였다고 한 것과

백제가 관산성을 치러 갈 때 가량(加良)과 함께 갔다는 기록을 들고 있는데

加良

여기서의 가량은 가라를 가리키는 말이고

가량(加良)

⬇

가라

이때의 가라는 곧 밈라가라라는 거지.

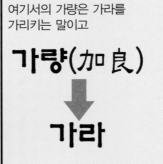

이외에 구지가라, 벌뫼가라, 고링가라는 단지 신라에게 멸망당하였다고만 기록이 되어 있고 때와 사정은 남아 있지 않아.

하지만 밈라가라가 망할 즈음에 그 운명을 같이 했을 것으로 봐도 큰 잘못은 없어.

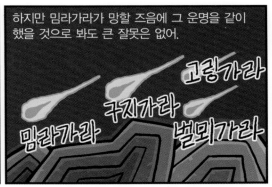

이렇게 여섯 가라가 멸망하면서 신라의 힘은 커졌고

이제 백제와 고구려에 대한 전투가 치열하게 전개되기 시작했어.

장수왕이 남하하여 백제가 수도를 옮기게 된 이후

백제는 무령왕이 등장하면서 다시 고구려와 힘의 균형을 이루게 되었어.

이렇게 고구려와 백제가 서로 전쟁을 벌이는 동안

신라에는 이사부와 거칠부라는 출중한 인물이 등장하였어.

이사부는 바다 멀리 있는 우산국을 정벌하였을 뿐만 아니라

우산국
(울릉도)

안라, 밈라 등의 가라를 정복하였고

진흥왕 당시 병부령이 되어 군사를 비롯한 국가 내외의 일을 모두 맡아 보았어.

병부령

거칠부는 왕족 출신으로

젊어서 중으로 변장해 고구려를 정탐하기도 하였는데

이사부와 함께 국정에 참여하여 마침내 신라가 발전하는 데 큰 공을 세웠어.

특히 백제가 신라와 함께 고구려에 대항하기 위한 동맹을 제의해 왔을 때

이사부가 흔쾌히 승낙하여

좋아!

나·제 동맹이 성립되었어.

548년 고구려의 양원왕이 백제에 쳐들어왔어.

이때 신라 진흥왕은 2천 명의 군사를 보내 백제를 도와 고구려를 격퇴하였어.

이후에 551년에 돌궐족이 고구려를 쳐들어오자 고구려가 이들을 막는 동안

백제는 오히려 고구려를 공격하여

평양까지 치고 올라갔어.

조선상고사

그러나 이때에 신라는 백제를 돕지 않았어.

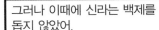

만약 이 때 신라가 백제와 협력하여 고구려를 쳤다면 아마 고구려가 멸망했을지도 모를 일이지.

그런데도 불구하고 신라가 이 때 백제를 돕지 않은 것은

신라가 비록 백제와 동맹을 맺고 있지만

멀리 있는 고구려보다는 항상 가까이 있는 백제를 경계했기 때문일 거야.

신라는 만약 고구려가 망하고 백제가 강해지면

오히려 백제로부터 위협을 받게 될 것이라고 생각한 거지.

다음엔 네 차례야.

그래서 진흥왕은 몰래 백제를 공격하여 새로 얻은 땅을 빼앗기로 하고

더 크기 전에 밟아야 해.

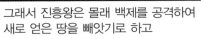

이사부와 거칠부에게 출군을 명하여

백제가 차지했던 죽령 이서의 10여 개 군을 빼앗아 버리고 말았어.

그러자 고구려를 치기 위해 평양까지 나아갔던 백제의 군사들은

고구려와 신라 사이에 껴서 그만 모두 패하고 말았지.

신라의 배신으로 졸지에 수많은 영토를 빼앗긴 백제의 성왕은

정예병 5천을 뽑아 관산성으로 나아갔어.

하지만 신라의 복병에 걸려들어 성왕이 죽고

수많은 백제의 장수들이 죽거나 사로잡혀

오히려 백제는 크게 쇠약해지고 말았어.

신라는 더욱 거세게 백제를 공격하여

남으로는 비사벌을 치고

북으로는 국원성을 쳐서

건국 이래 가장 넓은 영토를 확보하였어.

신채호는 이때의 영토가 동북으로는 지금의 함경도와 중국 길림 동북 지역까지라고 말했어.

계림 ➡ 길림

'길림'이라는 이름도 신라의 옛 이름인 '계림'에서 따온 것이지.

신라와 백제에게 차례로 한강 유역의 땅을 빼앗긴 고구려는

언제나 그 땅을 다시 찾기 위해 계속 신라를 공격했지만

얼레?

끝내 그 일을 이루지 못했어.

그 과정에서 평원왕의 사위였던 온달 장군도 전사하고 말았지.

평강공주와 온달의 이야기는 모두 알고 있지?

신채호는 이 이야기를 어떻게 설명하고 있을까?

온달은 옛 음으로는 '온대' 라고 하는데

이것은 '백산(百山)' 이란 뜻이야.

온달은 얼굴도 못생기고 가난한 거지였지만 마음은 시원시원하였지.

어머니, 점심 얻어 왔어요.

언제나 밥을 얻어다가 늙은 어머니를 모시고 살아갔는데

사람들이 모두 '바보 온달' 이라고 불렀어.

헤헤

바보 온달

당시 고구려 평원왕에게는 딸이 하나 있었는데

어릴 때부터
울기를 잘했지.

자꾸 울면
바보 온달에게
시집보낼 것이야.

공주가 커서 시집갈 나이가 되자

왕은 귀족의 가문과 결혼시키려
하였지만

어떠냐?

공주는 어려서부터 바보 온달에게
시집보내겠다는 아버지의 말을
지켜야 한다며

귀족과의 결혼을 반대하였지.

결국 궁궐에서 쫓겨난
평강공주는

흥!
두고 봐.

온달을 찾아와 그와 결혼한 후

그에게 말 타기와 활쏘기 등을 가르쳤어.

온달장군
특훈장

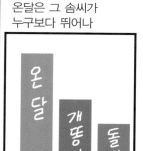

온달은 그 솜씨가
누구보다 뛰어나

온
달

개
똥
이

돌
쇠

3월 3일 하늘에 제사를 지내고 열리는
사냥대회에 참가하여 우승하였지.

하지만 평원왕은 이 때 온달을 바로
사위로 인정하지 않았어.

그만
나가게.

나중에 주나라의 무제가
요동으로 쳐들어 왔을 때

요 동

조선상고사

홀연히 어떤 한 사람이 용감히 싸워 수백 명의 적들을 죽이는 것을 왕이 보고

그가 누구인지 알아보게 하니 바로 온달이었어.

평원왕은 이때부터 온달을 자기의 사위로 인정하고 극진히 아꼈어.

아이고 우리 사위

이후 영양왕이 즉위하자

"계립령과 죽령 이서의 토지는 본래 우리 고구려의 소유였는데

신라에 빼앗겨 그 땅의 인민들이 늘 이를 원통해 하면서

고구려

신라

부모의 나라를 잊지 못하고 있습니다.

고구려

대왕께서 제게 군사를 주신다면 한 번에 그 땅을 회복하겠습니다."라고 청했지.

고구려

영양왕이 허락하자 온달이 출정에 앞서 선언했어.

만약 한수 이북의 땅을 찾지 않으면 돌아오지 않을 것이다.

그러나 온달 장군은 신라병과 싸우다가

아차성 부근에서 화살에 맞아

그만 전사하고 말았어.

사람들이 시신을 가지고 돌아와 장례를 치르려고 했지만

관이 땅에 꽉 붙어 떨어지지 않았어.

관이 움직이지 않아요.

그러자 공주가 친히 왔지.

국토를 찾지 못하고서야 님이 어찌 돌아가랴, 님이 아니 돌아가시는데 이첩이 어찌 홀로 돌아가랴.

공주는 졸도하여 그 후 다시 깨어나지 않았어.

고구려인들이 이에 공주와 온달을 그 땅에 나란히 묻었어.

이 이야기는 우리가 알고 있는 《삼국사기》의 기록과는

마지막 부분에서 조금 차이가 있어.

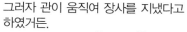

《삼국사기》에는 온달이 죽어 장사를 치를 때 관이 움직이지 않자

삶과 죽음이 이미 결정되었으니 이제 그만 돌아가소서.

그러자 관이 움직여 장사를 지냈다고 하였거든.

그렇다면 신채호는 왜 이렇게 다르게 썼을까?

조선상고사

신채호는 온달의 이야기를 이렇게 정리한 이유를

"만약 《삼국사기》의 기록처럼"

공주가 삶과 죽음의 길이 다르다는 말만하고 울었다면

흑! 흑! 흑! 흑!

공주가 국토에 대한 열정도 없었을 뿐 아니라

그냥 신라에게 줘 버려.

남편에 대한 사랑도 너무 옅으며,

그 동안 공주가 온달에게 말 타기와 활쏘기를 가르친 본래의 뜻도 알 수 없으며,

온달장군 특훈장

나아가 온달이 편안한 부귀영화를 버리고

부귀영화

전쟁터에 나선 참된 뜻을 알 수 없기 때문이지."

그래서 《삼국사기》의 기록보다는

三國史

공주가 온달과 함께 죽어 장사지냈다는 《조선사략》의 기록을 인용했어.

조선사략

여기서 우리는 신채호가 민족과 국가를 중시하는 민족주의적 역사관을 가지고 있었다는 사실을 더 잘 알 수 있어.

민족주의적 역사관

잠시 쉬었다가 고구려가 수·당과 치른 전쟁에 대해 알아보자.

제11장 **고구려와 수·당과의 전쟁**

이제부터는 고구려 역사상 중국과
가장 치열하게 싸웠던,

그리고 역사상 유래가 없을 정도의 큰 승리를 거두었던
수나라, 당나라와의 전쟁에 대해
살펴보려고 해.

신채호는 이 시기는 우리가 중국과
싸워 크게 이겨

동아시아에서 가장 강성한 때였지만

누구든
덤벼!

중국과 우리 역사에는 그 내용이
자세히 기록되어 있지 않으며,

또 그나마 남아 있는 기록들도

중국 중심의 춘추필법으로 쓰인 것이 많아 정확하지 않다고 하셨어.

위존자휘(爲尊者諱)

존귀한 자의 잘못됨은 숨긴다.

그래서 그는 오히려 정통 역사서인 《삼국사기》나 중국의 역사책을 따르지 않고

민간에 떠도는 이야기나

다른 책의 이야기가 더 정확한 사료라고 생각하여

거기에 있는 내용을 중심으로 서술하였어.

고구려와 중국은 예전부터 많은 전쟁을 해왔지만

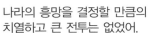

나라의 흥망을 결정할 만큼의 치열하고 큰 전투는 없었어.

그러나 수나라가 등장하면서 상황은 달라졌어.

수나라의 첫 임금이었던 문제는 중국을 통일하여 힘을 키우자

진나라는 이제 사라져 줘.

중국 주변의 있던 돌궐이나 토욕혼 등의 나라들이 모두 신하의 예로써 중국을 섬기게 되었어.

하지만 고구려만은 수나라에 대하여 고개를 숙이지 않았기 때문에

삣삣

전쟁을 일으킨 거지.

손 좀 봐 줘라!!!

수나라가 고구려를 침략한 또 다른 원인은 백제와 신라가 고구려를 미워하여

수나라에 사신을 보내 고구려를 치도록 요구한 것도 들 수 있어.

우선 수나라는 고구려의 영양왕에게 모욕적인 국서를 보냈어.

영양왕님, 등기요. 도장 주세요.

이 국서에는 중국을 통일한 자신의 힘과 업적을 과시하면서

중국을 통일한 나라우.

이에 빗대어 고구려를 작은 나라로 무시하였지.

내 밑으로 들어오면 잘해 줄게.

이런 괘씸한…

이 국서를 받은 영양왕은 크게 화를 내고

신하들을 모아 놓고 답할 문서를 보내려고 하였는데

당장 답장 준비해!

이때 강이식 장군이

이와 같이 오만하고 무례한 글은 붓이 아니라 칼로 회답해야 할 것입니다.

왕이 그의 주장을 따르면서 전쟁은 시작되었어.

그래, 좋다.

영양왕은 강이식 장군을 병마원수로 삼아 임유관으로 나아가 싸우게 하였지.

여기에 나오는 강이식 장군은
《삼국사기》에는 전혀 보이지 않는데,

알아요?

강이식

신채호는

지금은 전해지지 않는 《서곽잡록》의 기록을 인용하였지.

중국 측 기록에는 이렇게 서술되었대.

수서(隨書)

"이 임유관 전투에서 수나라는 전염병을 만나 군사가 죽어가고

전염병

또 풍랑을 만나 배가 침몰하여

자연 재해로 인한 불가항력적인 이유로 패하였다."

절대 싸움에서 진 게 아니다 해.

하지만 신채호는

이 전투에서 강이식 장군의 활약으로 고구려가 수나라 군대를 크게 무찔렀다.

헤-

어쨌든 이 임유관 전투 이후 수나라의 문제는 고구려를 크게 두려워 하여 이후 10여 년 동안은 고구려와 싸우는 일이 없었어.

임유관

그럼 고구려가 수나라와 싸운 전투 가운데 가장 큰 전투였던 살수 대첩에 대해서 살펴볼까?

한 놈도 살려두지 마라!!!

우리는 이 전쟁을
을지문덕 장군이

지금의 청천강인 살수에서 수나라 군사를 물리친
단지 하나의 전투로만
알고 있는데

신채호는 이를 살수전쟁이라
명했어.

그 과정에서
모두 세 차례의
큰 전쟁이
있었어.

그 첫번째는 지금의 대동강인
패강에서의 승리,

패강

고구려	수나라
1	0

두 번째는 살수전쟁,

살수

고구려	수나라
2	0

그리고 마지막 세 번째는
요동의 오열홀에서 거둔 승리야.

오열홀

고구려	수나라
3	0

그러면 수나라의
침략 배경부터 알아볼까?

수나라를 세웠던 문제가 죽고
그의 아들인 양제가 왕이 된 후

수나라는 해마다 풍년이 들어
전국이 풍요로웠어.

이렇게 나라 안이 풍요롭고 안정이 되자
이제 서서히 밖으로 관심을 가지게 되었지.

때마침 양제의
신하였던 배구가

예전 문제의 치욕을 들먹이며 양제를
부추겼어.

고구려를
정벌해야
합니다.

동낸풍속기

그리하여 마침내 611년 수 양제는 고구려를 치겠다는 조서를 내려 전국에서 병사를 모집하고

전국의 병사들은 다음 해 정월 이내로 탁군 (북경시 탁현)으로 모이라. —양제—

군비를 모으는 등 1년여에 걸쳐 전쟁을 준비했는데

전투병이 모두 113만 3천 8백 명이었고,

하나!

둘!

113만 3천 8백, 번호 끝!!

군량과 군수 물자를 수송하는 병사도 4백만 명이나 되었지.

기록에 의하면 이 모든 군사가 출발하는 데 40일이 걸렸으며

빨리 와!!

하~암

40일 만에 출발하네.

군대의 처음부터 마지막까지 이어진 길이가 960리나 되었다고 해.

서울

진주

특히 수 양제가 직접 이끈 어영군은 그 뻗친 길이가 80리나 되었다.

이처럼 대규모의 군대를 동원한 수나라의 침략에 맞선

고구려의 전술은 선수후전 (先守後戰)이라고 할 수 있는데

이것은 우선은 지키고 나중에 싸운다는 뜻이야.

그래서 처음에 육지에 있는 군사들은 백성들에게 먹을 양식을 거두어서 성 안으로 들어가 머물게 하였고,

바다를 지키는 군사들도 항구 안으로 물러나 지키게 하였어.

그런 후, 수나라 군대의 양식이 다 떨어지면

그때를 기다려 공격을 하는 거지.

처음에 을지문덕 장군은 수나라 군사들을 고구려 깊숙이 유인하기 위하여

거짓으로 패하면서 점점 군사를 뒤로 물렸어.

그러자 수 양제는 처음에는 선봉대만 보냈었는데

우리끼리 점령해 버릴까?

고구려가 계속 패하자 마침내 모든 병력을 거느리고 요하를 건너 요동 땅으로 들어옴과 동시에

총 공격 하라!!

군량을 실은 배와 군사를 먼저 평양으로 보냈어.

당시 평양성은 영양왕의 동생 고건무가 지키고 있었는데

앞서 말한 것과 마찬가지로 평양성의 모든 백성들을 성 안으로 피신시킨 후

거리에 재물과 돈을 떨어뜨려 놓았어.

조선상고사

평양에 상륙한
수나라 군사들은

사람 없는 거리에 떨어져 있는
돈과 재물을 보고는

우-와!!

그것을 주워 가지려고 다투면서
어지럽게 흩어지고 말았지.

내꺼야

이 틈을 타서 고건무는
수나라 군사를 공격했는데

이때다!
적들을 모두
섬멸하라.

이때 수나라 군대가 싣고 온 군량선을 모두
바다 속에 침몰시키는 전과를 올렸어.

이것이 바로
패강(대동강) 전투인데

패강

신채호는 《통감고이》라는 책에서

"군량선이 패하지 않았다면 우문술이
살수에서 패하는 일은 없었을 것이다."라는
구절을 인용하면서

이번 수나라와의 전쟁에서
가장 큰 공을 세운 사람은

우리가 보통 알고 있는 을지문덕 장군이
아니라 바로 고건무라고 하셨어.

아무리 막강한 군대라
하더라도 먹지 않고는
힘을 쓸 수 없기 때문이지.

다음으로 치러진 살수대첩은
많이 들어봐서 알 거야.

을지문덕 장군은 수나라 군사를
계속 유인하기 위해

거짓으로 패하며
평양까지 이르렀어.

처음에는 승리에 도취된 수나라 군사들이
아무 생각 없이 쳐들어 왔지만

군량미를 수송하던 군대가
고구려에게 대패했다는
소식을 듣고는

굶어야
된대.

그만 싸울 힘이 사라져
다시 돌아가려고 하였어.

이때 을지문덕은 미리 사람을 시켜 살수
(청천강)의 상류를 모래주머니로 막아 놓았었지.

수나라 군대는 살수에 이르러 건널 배가 없자
머뭇거리고 있었는데

마침 고구려 승려 7명이 바지를 걷고 건너는 것을 본
수나라 군사는

강물이 깊지 않은 줄 알고 서로 다투어
강물에 뛰어 들었지.

수나라 군사들이 강을 반도 채 건너지 못했을 때

고구려 군이 상류의 모래주머니를 터트림과 동시에 을지문덕의 군사들이 기습 공격을 하니

모래 주머니를 터트려라!!

수나라 군사는 물에 빠져 죽고,

화살과 칼에 맞아 죽어

30만5천 명의 군사 중에서 살아간 자가 겨우 2천700명 밖에 되지 않았어.

고구려가 수나라와의 전쟁을 마무리한 것은 오열흘(요동성) 전투에서였어.

수 양제는 우문술의 군대가 살수에서 크게 패하여 돌아왔음에도 불구하고 오히려 요행수를 바랐지.

오열흘 아래에서 한 판만 더 붙자.

그러나 이 싸움은 이미 싸울 의지를 상실한 수나라의 대패로 결정되어 있었지.

을지문덕 장군은 수나라 군사를 기습하여 대파하였는데

빼앗은 무기와 군수 물자의 수를 헤아리지 못하겠어.

이처럼 수나라와의 두 번째 전쟁은 패강, 살수, 오열홀의 전투를 통하여

마침내 고구려의 대승으로 끝났어.

이 전쟁 이후에도 수 양제는 두 번이나 더 고구려를 침략하였지만

고구려

모두 실패하였고,

잉잉- 무너워....

고구려

마침내 멸망의 길로 접어들고 말았지.

이제 고구려와 당나라와의 전투를 살펴볼 차례야.

고구려 VS 당나라

이 부분에서 신채호는 연개소문에 대한 재평가와

안시성전투를 자세하게 설명하고 있어.

여러분은 연개소문이 어떤 사람이라고 생각하니?

어떤 사람은 연개소문에게 고구려 멸망의 책임이 있다고 하여 부정적으로 보기도 하고

또 다른 사람들은 그를 위대한 장군이자 정치가로 보기도 해.

신채호는 연개소문이

(1) 호족공화제라는 고구려의 옛 제도를 타파하여
정권을 통일하였으며,

호족공화제 : 귀족연합정치체제라고도 한다.
국가의 일을 처리할 때 왕이 혼자서 결정하는 것이
아니라 여러 귀족들이 함께 모여 회의하여 처리하
는 제도나 체제를 말함.

(2) 장수태왕 이후 추진된 북수남진
(중국 쪽을 방어를 하고 남쪽으로 공격한다.)
정책을 버리고 남수북진 정책을 추진하였고,

(3) 마침내는 당나라를 격파한 당시
동아시아 전쟁사의 유일한
중심인물이라고 보고 있어.

쓸데없는
짓
그만해!

우리의 목표는
당나라다!!

까불지
마라잉?

하지만 연개소문에 대한 자료는
매우 부족한 편인데다가

연개소문

?

《삼국사기》 '열전' 에 실린 내용도
부정적이라서

포악하고 잔인하여 사람들이
감히 대적하지 못하였으며
영류왕을 죽이고 보장왕을 세워서
스스로 막리지가 되어 국사를 전횡,
당 태종이 이를 정벌하였다.

제대로 이해하기 어렵지.

하지만 신채호는 다양한 자료와 이야기를 통해서
연개소문을 소개하고 있어.

연개소문은 고구려 서부 출신인데 어렸을 때
중국을 돌아다니며 정보를 수집했다고 해.

이 이야기는 그 어디에도 나오지 않는 이야기인데

신채호는 중국에 전해오는 '갓쉰동 전'이라는 이야기가

갓은 '개'로 읽고 쉰은 '소문'으로 읽어야 해.

바로 연개소문에 대한 이야기로 그가 중국을 정탐했었다는 근거로 삼고 있어.

한동안 중국에 들어가 그 사정을 정탐한 후

귀국한 연개소문은

강력한 북진남수 정책으로 중국에 강력하게 대응할 것을 주장했지만,

북진남수!!

당시 고구려의 왕과 귀족들은 장수태왕 이후로 추진해 오던 북수남진 정책을 유지했기 때문에

북수남진

연개소문과 의견 대립이 심했어.

그래서 고구려의 귀족들은 연개소문이 자기 아버지의 직위를 이어 받지 못하도록 압력을 행사하기도 하였지만,

세습 반대!!

연개소문은 당장의 큰 세력 앞에 자신을 굽혀 훗날을 대비할 줄 아는 인물이어서

두고 보자!!

제가 어리 석었습니다.

마침내 그 직위를 이어 받게 되었어.

동부대인

하지만 그 후에도 연개소문을 못 미더워한 왕과 귀족들은

불안해.

저도 동감입니다.

몰래 그를 제거하려는 음모를 꾸몄어.

제거해 버리자.

이 일을 미리 안 연개소문은 오히려 먼저 계책을 써서

선발제인(先發制人)

먼저 손을 써서 상대방을 제압한다.

군대 열병식을 개최한다는 명목으로 귀족들을 불러 모아

안 나오면 나중에 힘들어질까봐 나왔어.

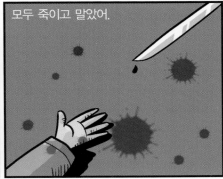

모두 죽이고 말았어.

나아가 왕까지 죽인 연개소문은

왕의 조카 보장을 왕으로 세우고

자신은 태대대로의 지위를 얻어

시키는 대로 하기만 해.

마침내 고구려의 권력을 장악하게 되었어.

연개소문이 정권을 장악한 후 고구려와 중국의 관계는 어떻게 되었을까?

당시 신라와 동맹을 맺고 있었던 당나라는

호시탐탐 고구려를 칠 기회를 노리고 있었는데,

쩝!!

연개소문이 영류왕을
죽이고 권력을 잡자

이를 핑계 삼아 드디어 침공을 시작하였지.

그러나 당나라 태종은 매우
신중한 사람이어서

돌다리도
두들겨 보고
가야지.

과거 수나라가 고구려를 공격하였다가
실패한 원인을 분석하고

그에 대한 대응책을 마련했는데

그 준비 기간이 무려
20년이었어.

당 태종의 전략

우선 대규모 병력보다는 소규모의
정예병을 골라 전쟁에 참여하고,

그리고 한 번에 고구려의 수도인
평양으로 쳐들어가는 것이 아니라

요동 지역의 군현들부터
하나씩 점령한 후

마지막에 평양을 노린다.

평양성

또 신라와의 동맹을 통하여

고구려의 후방을 교란하도록 한다.

조선상고사

연개소문의 전략

건안, 안시, 가시, 횡악 등 중요한 몇 개의 성읍을 지키도록 하고

나머지는 곡식과 말의 먹이를 성 안으로 옮기거나 불태워 버려

적들이 노략할 것이 없도록 하고,

오골성과 안시성을 방어선으로 삼아

적들을 막고 있을 때

연개소문 자신은 뒤로 돌아 당나라 군대의 후방을 공격한다.

연개소문의 이 전략은 제대로 적중하였지.

요하를 건너 오열홀, 백암 등 고구려의 성들을 함락시킨 당나라 군대는

마침내 안시성으로 쳐들어 왔어.

그러나 그곳을 지키는 양만춘 장군의 지략과

고구려 군사의 용맹으로

당나라는 더 이상 진격하지 못하고 계속 패전만 하고 있었지.

계속 밀리네.

안시성을 무너뜨리기 위해 당 태종은 군인들을 시켜 안시성보다도 더 높게 토산을 쌓도록 하였는데,

너희는 이제 끝났어.

오히려 이 토산을 고구려 군사가 점령해 버려 더 이상 쓸 계책이 없었어.

반사!

이때 마침 연개소문이 당나라 군대의 후방을 치자

당 태종은 군사를 돌려 돌아가려고 했지.

후~퇴.

안시성을 지키고 있던 양만춘 장군은 이때를 놓치지 않고 성문을 열고 군사를 내어 뒤쫓았고,

당 태종은 앞과 뒤에서 고구려 군사의 협공을 받게 되었어.

하지만 때마침 좌우를 분간하기 어려울 정도의 큰 눈보라가 치자

당 태종은 이틈을 타서 도망가고 말았어.

하지만 이 전투에서 당나라는 큰 손실을 보았으며

당나라

이 전쟁 이후 당 태종은 결국 전쟁에서 얻은 상처로 인해 죽고 말았지.

조선상고사

옛 역사책에는 이 사실이 제대로 기록되어 있지 않아.

춘추필법에 의해 중국의 잘못이나 수치스러운 일은 감추었기 때문이지.

위국휘치(爲國諱恥)

나라를 위하여 부끄러운 일을 숨긴다.

그 대표적인 예로 당 태종이 어떻게 죽었는지에 대해

제대로 기록하지 않고 있는데 신채호는 이에 대해 비판하고 있어.

고려 시대 이색이 지은 '정관음' 이라는 시나, 조선 시대 김창업이 쓴 '천산시' 에는

양만춘 장군의 화살이 당 태종의 눈을 맞혔다.

하지만 우리나라의 역사책이나 중국책에는 이런 기록이 없어.

《구당서》에는 당 태종이 종양, 요즘으로 따지면 암과 같은 병으로 죽었다고 했고,

종양

《신당서》에는 감기로 죽었다고 했으며,

감기

《자치통감》에는 이질, 즉 장티푸스로 죽었다고 했어.

이질

한 세대 동안 전 중국에 군림하며 호령하였던 황제가

죽은 이유를 이렇게 서로 다르게 기록한 것은

고구려인의 화살에 맞아 죽었다는 수치를 감추기 위해서였어.

그리고 연개소문이 중국에 쳐들어간 것도 기록에는 보이지 않는데,

안시성 전투에서 도망가는 당 태종을 쫓아 연개소문은 지금의 북경 근처까지 추격하였다는 것이 신채호의 주장이야.

북경에는 고려가 앞에 붙은 지명들이 있는데 이게 그 증거야.

당나라의 번한이라는 사람이 지은 '고려성 회고시'에는 이런 구절이 있어.

둥둥 북소리에 뭉게구름 일고 새로 핀 꽃들은 온 땅을 치장하였네.

연개소문은 당나라 땅을 잠깐 공격해 들어간 것이 아니라

연개소문 다녀 감.

그곳에 성을 쌓고 사람들을 옮겨 살게 하면서 태평성대를 누리게 했다는 것을 알 수 있지.

게다가 연개소문에 관한 기록에도 잘못된 것이 많은데

날 왜 이렇게 만든 거야?

《삼국사기》에 연개소문이 당나라에 요청하여 도교를 구하였다는 것이나,

도교

또 연개소문이 천리장성을 쌓았다는 것 등은 모두 잘못된 기록이라는 거야.

연개소문은 처음부터 중국을 정벌하려는 북진남수론을 주장하였는데

해가 떠도 북진! 달이 떠도 북진! 내 목표는 북진이야.

어떻게 적국의 종교를 수용할 수 있으며,

도 교

또 고구려가 쌓은 천리장성은 중국의 침략을 막기 위해 방어용으로 쌓은 것인데, 이 또한 연개소문의 정책과는 맞지 않아.

조선상고사

무엇보다 신채호는 이 모든 것이 연대가 맞지 않는다고 지적했어.

억지로 짜 맞추다 보니 연대가 안 맞는 거야.

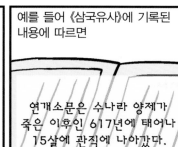

예를 들어 《삼국유사》에 기록된 내용에 따르면

연개소문은 수나라 양제가 죽은 이후인 617년에 태어나 15살에 관직에 나아갔다.

고구려가 당나라에서 도교를 수입한 때는 624년이야.

연대가 맞지 않지?

태어난 해가 617년이고 도교를 수입한 해가 624년이면 8세에 도교를 수입했어?

이런 이유 때문에 연개소문에 대한 많은 기록에 잘못이 있다는 것을 주장하셨지.

지금까지 고구려가 수나라, 당나라와 싸운 이야기를 쭉 했는데

어때? 너희들 마음에 뭔가 뭉클한 게 솟아오르지 않니?

그게 바로 신채호가 이 책을 쓴 목적이야.

5천 년을 이어온 우리 민족에 대한 자부심과 긍지를 갖게 하기 위해서 말이야.

다음 장에서는 백제의 이야기를 해 볼게.

이런 역사학의 흐름을 민족주의 역사학이라 하는데 신채호는 바로 이와 같은 역사 연구의 대표적인 학자인 거지.

제12장

백제의 강성과 신라의 음모

어느덧 《조선상고사》의 끝장까지 달려왔어.

신채호는 본래 우리 역사 전체를 쓰려고 했지만

중간에 일제의 감옥에서 돌아가시는 바람에 백제 멸망까지 밖에 쓰지 못했어.

그가 말하고자 한 우리 역사를 더 이상 알 수 없는 아쉬움이 있지만

그가 쓴 마지막 부분까지 살펴보면서 민족의 독립과 부흥을 갈망했던 마음과 그의 역사의식을 이해해 보도록 하자.

이에 삼국의 군사들이 총집결하여 주류성을 치니, 풍은 드디어 도주하고 장사들은 전사하였다.

이번 장은 백제 의자왕 때부터 시작하고 있어.

백제 의자왕은 3천 궁녀로 잘 알려져 있지.

그래서 우리는 그가 사치하고 방탕한 생활을 한 걸로 알고 있지만

호호… 폐하.

사실은 그렇지 않아.

난 억울할 뿐이고…

의자왕은 당시 잘 나가던 신라를 공격하여 많은 땅을 차지하고

땅

나아가 중국의 일부까지도 영토로 확보한 강력한 군주였어.

백제

중국

그가 이처럼 강한 백제를 만들 수 있었던 것은

그의 옆에 부여성충이라는 뛰어난 전략가이자 충성스러운 신하가 있었기 때문이야.

그대가 있어서 정말 든든하오.

황공하옵니다.

의자왕은 즉위하자마자

신라에 대한 공격을 활발하게 진행하였는데,

바쁘다, 바빠….

신라 김춘추의 사위인 김품석이 성주로 있던 대야성을 쳐서 빼앗고

성주 김품석 부부의 목을 베었어.

이에 딸과 사위를 잃은 김춘추가 고구려와 동맹을 맺으려 하자

그에 앞서 고구려에 들어가 연개소문과 담판을 지어

고구려가 신라와 연합하는 것을 견제하고

휘이 저리 가!

오히려 백제·고구려 동맹을 체결하였으며,

나아가 당나라가 고구려를 쳐들어와 안시성에서 전투를 할 때

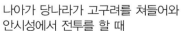

신라가 고구려의 후방을 공격하자

으하하

백제는 오히려 신라의 뒤를 공격하여 10여 개의 성을 빼앗았을 뿐만 아니라

바다 건너 중국의 양쯔 강 유역을 습격하여 월주 지역을 점령하는 등의 성과를 거두었어.

상해

월주 (회계)

의자왕이 이처럼 백제의 국력을 크게 키워 신라의 영토를 빼앗고,

지금부터 여기는 내 땅!

바다 건너 중국까지 그 영토를 확보할 수 있었던 것은

모두 부여성충의 건의에 의한 것이었어.

신채호는
이 부분을 쓰면서

고구려, 백제, 신라가 서로 사신을
보내고,

전쟁을 벌였던 내용을 매우 사실적이고
자세하게 설명하고 있어.

예를 들자면
《삼국사기》에는

김춘추가 고구려와 동맹을 맺기 위해
연개소문을 만나는 이야기는 나와 있지만

부여성충이 연개소문에게 신라보다는
백제와 동맹을 맺어야 한다고 주장한 일은
없어.

그런데 《조선상고사》에
따르면

백제의 부여성충이 김춘추보다 먼저
고구려에 들어가

여기는 고구려다.

헉헉!
힘들어.

연개소문과 동맹을 추진했어.

동맹,
오케이?

그런데 마침 이때 김춘추가
고구려에 오자

연개소문
안에 있소?

잠시만…
손님이
오셨네.

연개소문은 부여성충과의 동맹
협의를 중단하고

김춘추를 만난 거야.

부여성충은 이 사실을 알고 연개소문에게 글을 써서

우리 백제랑 협상 중에 신라를 만나?

과거 신라가 백제와 동맹을 맺고 고구려와 싸우다가

마침내 백제를 속이고 죽령 바깥 쪽의 10여 개 성을 빼앗아 간 것을 상기시키며 백제와 연합할 것을 주장하였지.

신라가 원래 좀 그래. 판단 잘해.

마침내 연개소문은 김춘추에게 죽령 일대의 땅을 내 놓으면 신라와 동맹을 맺겠다고 무리한 요구를 하여

죽령 내 놓으면 연합해 줄게.

신라와의 동맹은 맺어지지 못하고 백제와 동맹을 맺게 되었어.

또 고구려가 안시성에서 당나라와 싸울 때

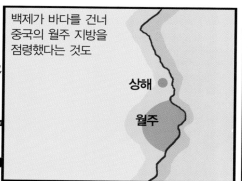

백제가 바다를 건너 중국의 월주 지방을 점령했다는 것도

상해

월주

이 책에만 나와 있는 이야기야.

이처럼 삼국의 이야기가 자세하게 기록된 것은

신채호가 《삼국사기》와 같은 역사책만 참고한 게 아니라

三國史

《해상잡록》 등과 같이 지금은 전해지지 않는 다른 많은 역사책과 또 사람 사이에서 전해지는 소문과 전설 등을 모두 참고했기 때문이야.

또 신채호는 삼국 통일을 이룩한 김춘추와 김유신에 대해서도

별로 좋은 평가를 하지는 않아.

김춘추는 고구려와의 동맹을 시도하다가 실패한 후

당과 동맹을 추진하는 과정에서

많은 예물을 가져다 바쳤고

온갖 비굴한 말로 도와주기를 요청하였지.

그리고 당나라 사람들의 환심을 사기 위해 자기 아들 법민과 인문을 당에 인질로 두고,

신라로 돌아와서는 진흥왕 이래로 써 오던 신라 고유의 연호를 버리고 당의 연호를 썼으며, 당의 의관을 썼어.

또 우리를 모욕하고 멸시한 말이 많은 중국의 역사서를 들여와 퍼뜨렸어.

김춘추의 이와 같은 행동으로 말미암아 우리나라에 중국을 큰 나라로 섬기는 사대주의가 전파되기 시작하였어.

게다가 당나라의 힘까지 빌려 삼국을 통일한 이유도 딸과 사위의 죽음에 대한 복수심에서 출발했기 때문에 높이 평가할 수 없어.

김유신도 마찬가지야.

삼국이 서로 경쟁을 하던 시기 고구려를 대표한 인물이 연개소문이었고, 백제를 대표한 사람이 부여성충이라면, 김유신은 신라를 대표한 인물이라고 할 수 있어.

연개소문

부여성충

김유신

하지만 고구려와 백제가 망한 다음에

신라의 역사가들은 고구려와 백제의 자료를 없애 버렸고,

오직 김유신만을 높여 칭송했다는 것이 신채호의 주장이야.

위대하신 김유신 장군…

그래서 다들 김유신이 백전백승의 명장이라 하지만

김유신 장군 만세!!

사실은 그가 패배한 전쟁은 감추고

빡빡 지워야 해.

작은 승리는 과장하여 기록한 것이 많다고 보았어.

뻥이오!

《삼국사기》에 보면

김유신이 백제와의 전투에서 빼앗은 땅이 지금 전라도의 동북 지역과 충청도의 동북 지역이라고 하였는데

만약 이것이 사실이라면 백제의 영토가 매우 많이 축소되었어야 하지.

그런데 신라가 당나라에 군사를
요청할 때의 기록을 보면

택배비는
착불입니다.

오히려 백제의 공격으로 신라의 영토가
날마다 쭈그러들고 있다고 했어.

재 때문에
힘들어.
좀 도와 줘.

즉, 김유신 장군의 공이
그렇게 크지 않다고 본 거야.

신채호는 이렇게 표현했지.

김유신의 특기는
지략과 용기가 아니라
음모를 가지고 상대를
혼란에 빠뜨리는
것이다.

그 예를 들어볼까?

신라 부산현의 현령이었던 조미곤은

백제에 포로로 잡혀가

백제의 좌평 임자의 집에서 종살이를
하게 되었어.

그는 임자에게 충성을 다하여 임자의
신임을 얻었고,

충성!!

쉬어!

마침내는 마음대로 드나들 수 있는
자유를 얻게 되었지.

조미곤은 이때 몰래 신라로 도망쳐 와서

신라

김유신에게 백제의 사정을
보고하였어.

그러자 김유신은 조미곤에게 백제로 돌아가 자신의 뜻을 임자에게 전하도록 하였어.

조미곤은 백제로 돌아와 임자에게 다음과 같이 말하였어.

김유신 장군이 말하길….

'국가는 꽃과 같고 인생은 나비와 같은 것이니, 만일 이 꽃이 진 뒤에 저 꽃이 핀다면 이 꽃에서 놀던 나비가 저 꽃으로 옮겨가는 것이 당연한 일 아닌가? 어찌 구태여 꽃을 위하여 절개를 지킴으로써 부귀를 버리고 몸을 굽히겠는가?'

이 말의 뜻은 신라가 망하면 김유신이 백제로 갈 테니 그때 임자가 돌봐주고,

반대로 백제가 망하여 임자가 신라로 오면 김유신이 돌봐주겠다는 것이었어.

임자는 본래 부귀영화를 좇는 자라서

이 말을 좋게 여기고 조미곤을 신라로 보내어 그렇게 하자고 약속했지.

이후 김유신은 임자를 꼬여 부여성충을 모함하게 하였고,

부여성충이 수상하옵니다.

마침내 백제는 부여성충뿐만 아니라

수많은 유능한 신하들이 임자의 모함으로 쫓겨나게 되었어.

이것이 결국 백제를 멸망의 길로 이르게 했지.

이 이야기는 《삼국사기》에도 실려 있는데 조미곤을 조미갑이라고 읽기도 해.

조미갑

조선상고사

김유신의 이와 같은 음모 때문에 백제는 안에서부터 서서히 무너져갔어.

임자는 김유신이 보낸 금화라는 여자를

앞날을 점칠 수 있는 사람이라며 의자왕에게 추천하였어.

의자왕은 금화에게 빠져 백제의 앞날을 그녀에게 물어보았는데

그녀는 백제의 충신들이 나라를 망칠 것이라고 하였어.

의자왕은 이 말을 쉽게 믿기 어려웠지만

이미 금화에게 마음을 빼앗긴 터라

백제의 충신들을 의심하기 시작했어.

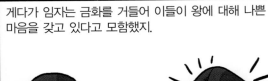

게다가 임자는 금화를 거들어 이들이 왕에 대해 나쁜 마음을 갖고 있다고 모함했지.

이런 모함을 받자 윤충은 울분을 참지 못 하여 죽고 말았고,

성충은 감옥에 갇혔으며,

흥수는 멀리 지방으로 귀양을 가게 되었어.

의자왕의 총기가 흐려진
것을 안 성충은

감옥에서 마지막으로 상소를 올렸어.

곧 신라와 당나라에 의한 전쟁이
있을 것입니다.
국가의 요충지인 탄현과 백강을
반드시 막아야 합니다.

그리고는 음식을 끊고 28일
만에 죽고 말았어.

백제가 이렇게 무너져 가고 있을 때

성충의 말처럼 신라와 당나라가 백제를
공격해 왔어.

의자왕은 밤늦도록 연회를 즐기고 있다가

전쟁이 벌어졌다는
소식을 듣고

신라군이
쳐들어 옵니다!

주변의 신하를 불러 대책을
논의하였지.

아무도
대책이
없느냐?

평상시에는 정확한 판단력으로
국정을 잘 이끌었던 의자왕도

주변에 간신배가 들끓자
어쩔 줄을 몰랐어.

그러다가 귀양을 가 있던 흥수에게 사람을
보내어 대책을 물었어.

탄현과
백강을 막으라
전하시오.

조선상고사

하지만 임자와 같은 간신배는 흥수가 귀양을 가 있는 처지에서 왕에게 충성을 다할 리가 없다고 주장하였지.

오히려 흥수의 말과 반대로 해야 하옵니다.

총기가 흐려진 의자왕은 간신 임자의 말을 믿고 좋은 기회를 다 놓치고 말았지.

신라의 군대가 이미 탄현을 넘은 후

왕으로부터 출전의 명령을 받은 계백 장군은

출전명령서

백제를 지킬 기회가 지나갔음을 알고

아내와 자식들을 불러 손수 그들을 모두 죽인 후

비장한 각오로 황산벌로 출격하였어.

이때 계백은 5천 명을 결사대로 신라의 5만 군대를 맞아 싸웠는데

우리가 황산벌을 막지 못하면 백제는 영원히 사라진다.

4번을 싸워 모두 이기고 신라군을 1만 여명을 사살하였지.

그 용감하다던 김유신 장군도 10배나 많은 병력을 가지고

백제의 계백 장군을 당해내지 못했던 거야.

더 이상 잃을 게 없다.

하지만 관창의 죽음을 앞세운 신라군에게

결국 계백 장군의 결사대는 황산벌을 내주고 말았어.

바다에서도 마찬가지였어.

성충과 흥수는 당나라 군대가 기벌포로 들어오지 못하게 미리 막아야 한다고 했지만

백제는 그 기회를 놓쳐버렸고,

장군 의직을 중심으로 끝까지 싸웠지만 당나라 군대에게 그만 패하고 말았어.

기벌포를 통해 백강으로 들어온 당나라 군대는

준비 다 됐소.

황산벌에서 계백의 결사대를 격파하고 진격해온 신라의 군사와 힘을 합쳐

갑시다. 하나, 둘, 셋!

백제의 도성인 사비성을 공격하기 시작하였어.

와!! 와!! 와!!

사태가 위급함을 안 의자왕은

왕자들에게 사비성을 맡기고 자신은 옛 수도였던 웅진성으로 피신했어.

사비성

사비성을 부탁한다.

하지만 이미 국력이 약해진 백제가 신라와 당의 연합 군대를
막아내기에는 역부족이었고

이제는
싸울 힘도 없어.

웅진성으로 피신한 의자왕도 곧
사로잡히고 말았어.

만약 성충과 흥수의 충고대로 신라의
군대가 탄현을 넘기 전에,

탄현

그리고 당나라의 군대가
기벌포로 들어오기 전에

기벌포

백제가 나가 싸웠다면 이 전쟁은
어떻게 되었을까?

아쉬움이
남는 일이지.

신채호는 백제의 멸망을 이렇게
평가하고 있어.

"백제는 사람들이 싸움에
익숙한 용감한 나라였지만

유교를 수입한 이래,

사회가 점점 나약해졌다."

"그리고 성충과 흥수 등은 뛰어난
지략가지만

폭군을 제거할 기백이 없었고,

계백과 의직은 자기 몸과 가족을 희생하는 충렬은 있었지만

고구려의 연개소문처럼 내부를 숙청하여

나라를 재정비할 수완이 없었다."

나 라

그래서 만약 백제가 유교의 나약함에 안주하지 않고 늘 혁명의 분위기를 유지했더라면

유교탕

간신들에 의해 나라가 망하도록 내버려 두지는 않았을 거라며 안타까워했지.

탕 속에 너무 오래 있었나봐. 힘이 없어.

여기서 우리는 신채호의 혁명 정신을 엿볼 수 있어.

신채호가 활동할 당시 독립운동을 하는 사람들은 크게 세 가지 부류로 나뉘어 있었어.

> 외교론자
> 실력 양성론자
> 무장 투쟁론자

외교론자는 외국에게 우리 민족독립의 당위성을 알려 그들의 힘으로 독립을 얻어내자는 주장을 했는데

대신 혼 좀 내줘.

이승만과 같은 사람들이 이들이야.

실력 양성론자들은 지금 당장은 독립이 어려우니

뭐...

심하게 비교되네.

사회, 경제, 문화 등 각 분야에서 우리의 실력을 길러서

경제 교육 사회 문화

훗날 독립을 도모하자는 사람들이었어.

덤벼!

...

y

228 조선상고사

마지막으로 신채호처럼 무장 투쟁론자들이 있었는데

이들은 혁명과 전쟁 등 무력적 수단을 동원하여

독립을 쟁취해야 한다는 입장이었지.

신채호는 앞의 두 가지 주장을 비판하면서

독립을 하기 위해서는 무장 투쟁이 최우선이고,

또 이를 위해서는 무엇보다도 우리를 억압하는 세력을 타파하고자 하는 '민중의 각오'가 중요하다고 했어.

그래서 언제나 현재에 안주하지 않고,

현재와 투쟁하려는 투쟁심을 강조했던 거야.

그의 이런 생각이 백제의 멸망을 바라보는 시각에 고스란히 담겨 있는 거지.

백제의 도성이 함락되고 의자왕이 사로잡혀

나라는 이미 망했지만,

옛 충신들과 의병들에 의해 백제 부흥 운동이 일어났어.

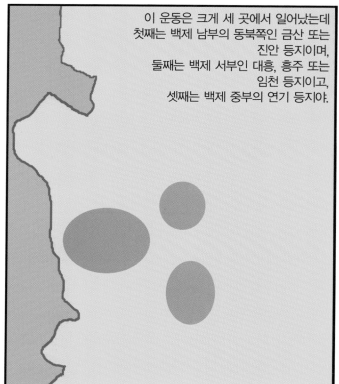

이 운동은 크게 세 곳에서 일어났는데
첫째는 백제 남부의 동북쪽인 금산 또는
진안 등지이며,
둘째는 백제 서부인 대흥, 흥주 또는
임천 등지이고,
셋째는 백제 중부의 연기 등지야.

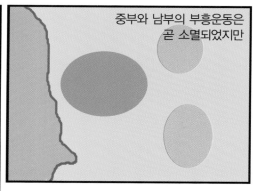

중부와 남부의 부흥운동은
곧 소멸되었지만

서부의 부흥운동은 복신의 활약으로 큰 성과를
거두었어.

복신은 흑치상지, 도침 등과 함께
백제 부흥군을 이끌며 수십 개의 성을
회복하였고,

일본에 가 있던 왕자
부여풍을 맞이하여
왕으로 삼았어.

그러나 부흥군 내부의 분열로 결국 백제가
돌아올 수 없는 길을 걸어가게 하였어.

도침은 부흥군을 이끈 복신의 공이 날로 커지자 이를
시기하여 당나라 군사와 내통하다가

복신에게 죽임을
당하였어.

마음속으로 도침을 믿고 있던
부여풍은

복신이 왕인 자기보다도 더 권세가 강하다고 생각하여

결국 그를 죽이고 말았어.

복신이 죽자 당나라 군대는 부흥군을 분열시키기 위해 여러 장수들을 회유하였는데

이때 흑치상지도 부여풍이 복신을 죽인 것을 원망하며 당나라에 항복하고 말았어.

부흥군

결국 백제의 부흥운동은 이렇게 해서 실패로 돌아가고 말았어.

신채호는 백제 멸망의 제1의 원인으로 부여풍을 들고 있어.

그는 복신을 죽여 백제 중흥의 기회를 날렸다.

그리고 제2의 원인으로는 흑치상지를 들고 있어.

흑치상지는 《삼국사기》의 열전에도 실려 있는 인물이야.

역적인 흑치상지가 《삼국사기》에 실린 것은

당나라 역사책에 기록된 것을 보고서 무작정 적은 것으로, '바보 자식의 붓'이야!

백제를 배신하고 당나라에 항복한 자이니 당나라 역사책에서야 당연히 좋게 썼을 테지.

그것도 모르고 그대로 베껴 쓴 것을 비판한 거야.

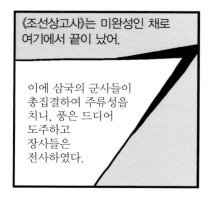

《조선상고사》는 미완성인 채로 여기에서 끝이 났어.

이에 삼국의 군사들이 총집결하여 주류성을 치니, 풍은 드디어 도주하고 장사들은 전사하였다.

이 책의 내용이 우리가 배우고, 알고 있는 역사책의 내용과 달라서

오히려 많은 혼란을 느꼈을 수도 있어.

하지만 신채호가 이 책을 통해서 말하고자 했던 것은

외세 앞에 힘없이 나라를 빼앗긴 우리 민족에게

우리의 역사를 통해 민족의 자부심과 자신감을 불어 넣어,

반드시 나라를 되찾으려는 의지를 갖고

조국 독립에 힘쓰자는 것이었어.

오늘날 정통 역사학자들은 신채호의 연구를 중요한 자료로 다루지 않고 있어.

그의 글이 현재 전해지지 않는 자료나,

민간에 떠도는 설화나 전설 등을 근거로 하고 있기 때문이기도 하거니와

설화!

전설!

그의 역사 연구 방법의 중요한 위치를 차지하고 있는 언어학적 접근 방법이

언어학적 접근 방법

실증적인 연구 방법에 익숙해 있는 학자들로부터 인정받고 있지 못 하기 때문이기도 해.

하지만 이것은 우리나라 역사학계가 그 동안 너무 실증주의라는 획일적인 역사 연구 방법에 치우쳐 있기 때문이기도 할 거야.

이제 우리는 역사 연구에 있어서도

다양한 관점과 방법을 통해

우리 역사를 더 풍성하게 살찌울 수 있는 방법을 찾아야 할 때라고 생각해.

그런 면에서 신채호의 《조선상고사》는 우리에게 또 다른 길잡이가 되지 않을까?

《조선상고사》를 위한
역사 교실

실증주의 역사학과 민족주의 역사학

▲ 레오폴트 폰 랑케

실증주의 역사학은 '실증사학'이라고도 합니다. 이것은 역사적 증거와 사실에 근거하여 객관적으로 역사를 서술하는 것을 의미합니다.

서양에서 역사가 과학적 학문의 토대를 마련한 것은 18세기 볼테르에 의해서였습니다. 그는 이전까지의 역사가 초자연적인 내용이나 위인 중심의 서술, 또 연대기적인 역사 중심이라며 비판했습니다. 볼테르 이후 역사가들은 사료를 풍부하게 수집하고 사실 관계를 고증하는 작업을 통해 역사를 서술하였습니다. 하지만 19세기 이후, 역사를 통해 자기 민족과 국가의 우월성을 강조하는 경향이 등장하면서 역사 서술의 공평성과 학자로서의 양심적 태도를 잃어버리게 되었습니다.

이때 등장한 사람이 바로 레오폴트 폰 랑케(Leopold von Ranke 1795~1886)입니다. 그는 이전의 역사가들이 역사적 사실에 대한 잘잘못의 평가를 내리거나, 자기 민족과 국가의 우월성을 강조하는 해석을 하는 등의 태도를 비판하면서, 역사의 목적은 어떤 사건을 단순히 일어난 그대로 정확하게 서술하는 데 있다고 강조하였습니다. 사실로 하여금 사실을 이야기하게 하자는 것, 이것이 바로 실증주의 역사학의 기본 태도입니다.

랑케의 실증주의 역사학은 이후 서양 역사학에 큰 영향을 주었으며, 일본을 통해

아시아에도 전파되었습니다. 일본을 통해 근대 학문을 접하게 된 우리나라의 근대 역사학도 기본적으로 이와 같은 실증주의 역사학에 바탕을 두고 있는 것입니다.

한편 민족주의 역사학이란 자기 민족의 우수성을 역사적으로 강조하기 위하여 자기 역사의 자주적이고 자발적인 발전을 목적으로 서술하는 역사학을 말합니다. 서양에서는 18세기 근대적 의미의 민족주의가 등장하면서 민족주의 역사학의 분위기가 형성되기도 하였습니다.

우리나라는 개화기에 일본 제국주의의 침략을 받으면서 민족주의 사학이 형성되기 시작하였습니다. 외세의 침략에 대항하여 역사를 통해 민족의 주체성을 지키고 민족의 우수성을 알리기 위해 민족주의 역사학이 성립되었습니다. 단재 신채호 선생이나 백암 박은식 선생 등이 대표적인 민족주의 역사학자입니다. 이들은 역사를 통해 발견할 수 있는 민족정신, 또는 민족혼을 강조하였으며, 외세에 대하여 투쟁적이고 비타협적인 태도를 보였습니다. "역사는 아(我)와 비아(非我)와의 투쟁"이라고 한 신채호 선생의 말에 그 의미가 잘 담겨 있습니다.

▲ 슬픈(痛) 구한말의 역사를 기록한 《한국 통사》를 써서 민족의식을 고취하려 한 백암 박은식

일부에서는 실증주의 사학이 식민사학이라고 오해하고, 또 다른 편에서는 민족주의 사학의 내용이 터무니없다고 무시하는 경향이 있는데, 이것은 모두 바른 태도라고 할 수 없습니다. 실증주의 사학은 사료와 증거를 중심으로 역사를 서술하는 것이기 때문에 역사책과 같은 사료가

많이 남아 있지 않은 우리나라의 형편에서 이 방법으로는 제대로 된 역사를 서술하기에 어려움이 있습니다. 남아 있는 것만 가지고 서술한다면 길고 긴 우리 역사 가운데 제대로 쓸 내용이 별로 없기 때문입니다. 그래서 실증주의 사학의 입장에서 쓴 역사는 웅장하고 거대한 민족의 역사와는 거리가 있습니다. 게다가 이것이 우리가 개화를 하고 일본 제국주의의 침략을 받는 가운데 근대 학문으로 수용되다보니 식민사학이라는 오해를 받게 된 것입니다.

또 민족주의 사학은 민족의 우수성을 강조하기 위해 역사책을 서술하기 때문에 다소 과장된 부분도 존재하게 마련입니다. 그러다보니 비과학적이고 논리적이지 못하다는 비판을 받고 있습니다. 하지만 민족주의 역사학자들도 아무런 근거 없이 소설 쓰듯이 역사를 쓴 것은 아닙니다. 오히려 그들의 역사 서술을 통해서 사료로 남아 있지 않아 실증적으로 서술하기 어려운 부분을 새롭게 해석할 수 있는 단서를 얻을 수도 있기 때문입니다.

《삼국사기》는 어떤 책인가?

▲ 김부식

　신채호의 《조선상고사》에 비판의 대상으로 가장 자주 등장하는 김부식의 《삼국사기》는 어떤 책일까요?

　《삼국사기》는 고려 인종 23년(1145) 경에 김부식이 임금의 명을 받아 고구려, 백제, 신라의 역사를 기전체로 편찬한 삼국시대의 역사서입니다. 이후 《삼국사기》는 《삼국유사》와 더불어 우리나라 고대사를 연구하는 데 기초자료로 가장 많이 활용되어 왔습니다.

　삼국시대에도 자기 나라의 역사서를 편찬했었다는 기록은 남아 있습니다. 고구려의 《유기(留記)》와 《신집(新集)》, 백제의 《서기(書記)》, 신라의 《국사(國史)》가 그것입니다. 그러나 안타깝게도 이 책들은 현재 전해지지 않습니다. 이처럼 고대사를 연구할 때 참고할 만한 자료가 없는 상황에서 《삼국사기》의 존재는 더욱 빛난다고 할 수 있습니다. 삼국시대와 그 이전의 역사를 연구하고자 할 때 남아 있는 우리의 기록이 없어 중국 측의 기록을 참고해야 함을 생각한다면, 《삼국사기》가 갖는 역사적 위치는 더욱 커지게 됩니다.

　따라서 《삼국사기》가 갖는 역사성을 강조하는 학자들은 이 책이 고려 귀족문화가 최고로 발전하던 시기의 산물로, 거란 및 여진과의 전쟁 뒤 강력한 국가의식이 등장하던 시기에 이전 시대의 역사를 정리하고자 하는 의도로 편찬되었기 때문에 유교정치 이념의 실현만이 아니라 국가의식의 구현이라는 차원에서 편찬되었던 것이라고 주장합니다.

이들은 《삼국사기》와 김부식의 '사대(事大)' 논란에 대해서는 책이 쓰여진 12세기 중엽 고려 사회의 시대 분위기에 맞게 해석해야지, 현재의 시각으로 책을 비판하는 것은 무리라고 주장합니다.

그러나 신채호가 문제 삼았던 것처럼 《삼국사기》에 대한 평가가 꼭 긍정적인 것만은 아닙니다. 특히 《삼국사기》를 비판적으로 보는 학자들은 《삼국사기》가 쓰여진 시대의 분위기와 편찬을 주도했던 김부식의 개인적인 성향에 주목하고 있습니다.

▲ 평양 을밀대
평양 천도와 북진정책을 주장한 묘청의 서경천도 운동은 기존세력인 개경파와 신흥세력인 서경파의 권력 다툼이었다는 주장도 있다.

《삼국사기》가 쓰여진 12세기 중엽 고려사회는 유교주의의 통치이념이 자리를 잡았던 시기로, 문벌귀족에 의해 주도된 유교주의에 입각한 통치는 가능해졌지만 사회 분위기는 보수적으로 바뀌어 개국 당시의 진취적인 기상은 많이 약해져 있었습니다. 안으로는 문벌귀족사회의 모순이 심화되어 이자겸의 난이 일어났고, 송나라를 남쪽으로 밀어내고 중국의 중심을 차지한 여진족의 금나라가 고려에 대해 사대의 압력을 가했던 시기였습니다. 그래서 당시 집권층이었던 이자겸을 비롯한 문벌귀족들은 여진족의 압력에 굴복하고 맙니다.

《삼국사기》를 편찬한 김부식 역시 이 당시를 대표하는 문벌귀족이었습니다. 여진족의 사대 압력에 맞서 수도를 서경(평양)으로 옮기고 북진 정책을 추진하고자 하는 묘청의 서경천도 운동은 김부식을 중심으로 한 개경파에 의해 진압 당하고 맙니다. 정권의 실세가 된 김부식이 주도한 《삼국사기》는 위와 같은 분위기 속에서 편찬된 것입니다.

《삼국사기》를 비판적으로 보는 이들이 주목하는 것은 《삼국사기》가 사료적 가치가 뛰어남에도 불구하고 중국 중심의 세계관을 반영하고 있어, 역동적이고 진취적이었던 삼국의 역사를 제대로 기록하지 못하고 있다는 것과, 삼국의 역사 중 신라를 중심으로 역사를 기록하고 있어 상대적으로 고구려와 백제의 역사 기록에 소홀하다는 것입니다.

▲ 《삼국사기》 서울대 규장각 보관

예를 들면 삼국의 인물에 관한 기록인 '열전'의 경우 총 69명 중 신라인이 압도적인 다수를 차지하고 있는데, 이것은 당시에 남아 있던 삼국의 인물 기록이 삼국을 통일한 신라인에 관한 것이 대다수였을 수 있지만 그래도 고구려, 백제의 인물들이 상대적으로 푸대접을 받았음을 알 수 있습니다.

그리고 《삼국사기》의 내용 중에서 특히 김부식의 논찬(역사적 사실을 기록하고 글 뒤에 덧붙이는 논평)에는 중국 중심의 역사관이 드러나 있다고 지적하기도 합니다.

이처럼 평가가 엇갈리고 있지만 《삼국사기》는 지금까지 남아 있는 가장 오래 된 역사서로서의 존재 가치뿐만 아니라 내용 면에서도 뒤떨어지지 않을 훌륭한 면을 갖추고 있으므로 이 책을 우리 역사의 소중한 자료로 삼아 역사 연구에 더 많이 활용할 수 있는 방안을 찾으려는 노력이 필요합니다.

우리 역사 속의 역사서

▲ 이규보

▲ 《조선왕조실록》 중 《태조 실록》, 《태종 실록》

우리는 오래 전부터 기록을 매우 중요시하였습니다. 그래서 많은 사람들이 책으로 기록을 남겼습니다. 비록 잦은 전란으로 인해 오늘날 우리에게 남겨진 역사책이 중국이나 일본 등 다른 나라에 비해 적지만 삼국시대부터 꾸준히 우리 역사를 기록하였음을 알 수 있습니다.

고구려에서는 국초에 처음 문자를 사용하기 시작했을 때 《유기》 100권을 만들었습니다. 그리고 나중에 영양왕 때에는 태학박사 이문진이 《유기》를 다시 고쳐서 《신집》 5권으로 정리하였습니다. 이 책들이 지금은 전해지지 않아 그 내용을 알 수는 없지만 고구려는 일찍부터 역사를 기록하고 정리하였음을 알 수 있습니다.

또 백제에서는 근초고왕 때에 박사 고흥이 《서기》를 지었습니다. 《삼국사기》 기록에는 나라를 세운 이래로 역사를 기록하지 않다가 이때 처음 역사책을 갖게 되었다고 하였습니다. 어떤 사람들은 《서기》가 책 이름이 아니라 그냥

옛일을 '기록한 것'의 의미라고 주장하는 사람도 있지만, 어떤 경우라 하더라도 백제에서 이 시기에 정리된 역사 기록을 갖추었음은 부정할 수는 없습니다.

한편 신라에서는 진흥왕 때에 이찬 이사부의 건의로 거칠부가 학자들을 모아 《국사》를 편찬하였는데, 백제의 《서기》와 더불어 아쉽게도 지금까지 전해지지 않습니다. 그리고 통일 신라 시대에는 김대문이 《화랑세기》, 《해동고승전》, 《한산기》 등을 지었는데 역시 지금은 남아 있지 않습니다.

▲ 일연

고려는 초기부터 왕들의 실록을 만들었습니다. 《조선왕조실록》처럼 고려에도 《고려왕조실록》이 있었습니다. 그러나 역시 전란으로 소실되어 지금 전하지 않고 있습니다. 만약 이것이 지금까지 남아 있다면 유네스코 세계 문화유산에 등록된 《조선왕조실록》 못지않은 귀한 자료가 되었을 것입니다. 이후 현종 때에는 태조부터 목종에 이르는 《7대 실록》을 작성하였지만 이 역시 전해지지 않고 있습니다.

고려의 역사책으로 가장 유명한 것을 들자면 무엇보다도 《삼국사기》와 《삼국유사》를 들 수 있습니다. 그러나 이 책들보다 먼저 삼국의 역사를 정리한 책이 있습니다. 바로 《삼국사》입니다. 이 책은 《삼국사기》 편찬에 참고할 정도로 중요한 역사책인데 《삼국사기》와 구별하기 위하여 《구삼국사》라고 부르기도 합니다. 언제, 누가, 어떻게 만들었는지 알 수 없으나 고려 초기에 고구려를 중심으로 삼국의 역사를 정리

▲ 《삼국유사》

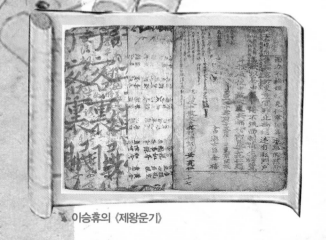
▲ 이승휴의 《제왕운기》

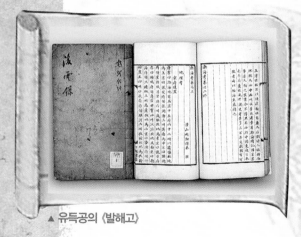
▲ 유득공의 《발해고》

했던 것으로 보입니다. 고려 후기에 이규보가 《동명왕편》을 지을 때 이 책에서 동명왕의 기록을 접하였다고 한 것을 보면 이때까지는 남아 있었으나 그 이후 언젠가 소실되어 더 이상 전해지지 않습니다.

고려 후기에는 몽골의 침입과 내정 간섭 등으로 민족의 자존심에 상처를 입자 역사로써 이것을 만회하기 위해 여러 책들이 만들어지지요. 이규보의 《동명왕편》, 이승휴의 《제왕운기》, 일연의 《삼국유사》, 각훈의 《해동고승전》 등을 들 수 있습니다. 이들은 모두 정식 역사서의 형식을 갖춘 책은 아닙니다. 이승휴의 《제왕운기》는 역대 왕들의 업적을 노래로 적어 놓은 것이고, 《삼국유사》는 《삼국사기》에서 빠진 이야기들을 모아 놓은 책이지요. 하지만 이들 모두 역사적인 내용을 담고 있어 역사 연구의 중요한 자료가 되고 있습니다.

조선 시대 들어서는 이전 시대 역사인 고려의 역사를 정리하여 《고려사》, 《고려사절요》를 편찬하였고, 유네스코 세계문화유산에 등록된 《조선왕조실록》을 편찬합니다. 이것은 임진왜란 때 겨우 화를 모면하여 지금까지 남아 있습니다. 이후 성리학이 발전하면서 성리학적 질서, 즉 중화주의에 바탕을 둔 역사책들이 많이 만들어집니다. 그러다가 조선 후기에는 실학자들의 영향으로 이전과는 다른 새로운 경향의 역사책이 등장하는데, 이전까지 어느 누구도 기록하지 않았던 발해의 역사를 유득공이 《발해고》로 정리하였으며, 이종휘는 고구려의 역사를 정리하여 《동사》로, 안정복은 고증사학의 방법을 통해 단군에서 고려까지의 역사를 다룬 《동사강목》을 지었습니다. 이 책들은 지금도 조선 후기를 대표하는 역사책으로 남아 오늘날 역사 연구의 귀중한 자료가 되고 있습니다.

이두문(吏讀文)이란 무엇인가?

"나라의 말이 중국과 달라 문자로 서로 통하지 않으므로
어리석은 백성들이 말하고자 하는 것이 있어도
그 뜻을 제대로 표현하지 못하는 일이 많다.…"

▲ 《훈민정음 해례》

이것은 세종대왕께서 훈민정음을 창제하시면서 창제의 목적으로 적은 글입니다. 여기에 나와 있듯이 우리의 말은 중국과 다르기 때문에 중국의 글자인 한자로는 그 뜻을 다 표현하기가 어렵습니다. 그렇다면 세종대왕께서 훈민정음을 창제하시기 전까지 우리는 우

리말을 어떻게 글로 적었을까요? 우리는 쉽게 한자로 적었을 것이라고 생각하지만 말과 다른 글자로 생각을 표현한다는 것이 쉬운 일은 아니었습니다. 그래서 처음에는 한자의 뜻과 음을 빌려서 우리말에 따라 적었는데 이것을 '이두(吏讀)'라고 합니다. 즉, 한자를 우리말에 맞게 빌려 쓰는 표기법이 이두인 것입니다.

이두는 사용방법에 따라 '향찰', '구결' 등으로 구분하기도 하지만 이 모두를 통

틀어 이두라고도 합니다. 이두는 삼국시대부터 사용한 것으로 알려져 있지만 그 명칭은 고려 시대에 들어와 만들어진 것으로 보입니다. 그리고 이두(吏讀)라는 이름에서 알 수 있듯이 원래는 관공서의 관리들이 사용하는 문자 체계였습니다.

吏(이) – 관리, 讀(두) – 구절

▲ 설총
신라의 대학자인 설총은 원효대사와 요석공주의 아들로도 유명하다.

이두를 처음 만든 사람이 설총이라는 이야기가 있지만 설총은 7세기 후반에 활동한 사람으로서 그 이전부터 이두가 사용되었다는 점을 볼 때, 전부터 있었던 이두를 설총이 정리한 것으로 보는 것이 타당합니다. 이두는 국어의 문장 구조를 가지고 있었으며, 처음에는 우리말의 어미를 표기하다가 나중에는 문장 전체를 이두로 표현할 수 있을 정도로 발전하였는데, 7세기경에 이르러서는 그 표기법이 완비된 것으로 보고 있습니다. 이두는 훈민정음이 창제된 이후에 쇠퇴하기 시작했으나 관청에서는 조선 후기까지 사용하였습니다.

이제 이두로 표기한 예를 살펴보겠습니다. 다음 글은 신라의 임신서기석에 새겨진 내용의 일부입니다.

"①今自三年以後　②忠道執持　③過失无誓
（금자삼년이후 충도집지 과실무서）"

: ①지금부터 3년 이후　②충성의 도를 가지고　③ 과실이 없기를 맹세한다.

이것은 한자로 새겼지만 그 문장 구조는 우리말의 구조와 같습니다. ①, ②, ③을 한문 문장으로 쓴다면 ①은 自今自三年以後~, ②는 執持忠道, ③은 誓无過失로 해야 합니다. 이처럼 한자를 빌어 우리말식으로 표기하는 것이 이두표기인 것입니다.

또 하나, 한자의 뜻과 발음을 빌려와서 표기하는 경우를 살펴보겠습니다. 신라의 역사를 편찬한 거칠부를 《삼국사기》〈열전〉에서는 다음과 같이 기록하고 있습니다.

"居柒夫 或云 荒宗(거칠부 혹운 황종)"

이것을 해석하면 '거칠부 또는 황종이라 부른다.'라는 뜻입니다. 사람의 이름이 두 개라는 것이 이상하지 않습니까? 그러나 이것은 거칠부의 이름이 두 개라는 의미가 아니라 거칠부의 이름을 하나는 한자의 음을 따서, 또 하나는 한자의 뜻을 따서 이두로 표기한 것입니다. 즉 '거칠부'란 '거친 사내'라는 뜻의 이름인데 요즘말로 하면 '터프가이'와 비슷한 뜻이겠죠? 이것을 발음 그대로 표기한 것이 '居柒夫(거칠부)'입니다. 여기에서는 발음만 따온 것입니다. '居(거)'가 '살다'라는 뜻이 있지만 이 뜻은 사용하지 않고 '거'라는 발음만을 따온 것이지요. 그런데 이것을 뜻으로 표현하다보니 '荒宗(황종)'이 되었습니다. '荒(황)'은 '거칠다'는 뜻이기 때문이죠. 이와 같은 표기법을 이두라고 하는 것입니다.

신채호 선생은 이 책에서 '낙랑'과 '평양'을 바로 이와 같은 방법에 따라 같은 곳의 다른 이름이라고 보았습니다. '樂浪(낙랑)'의 '樂(락)'은 '편하다'는 뜻에서 '펴'로 발음되기 때문에 '낙랑'은 곧 '펴라'이며 이것을 한자의 음으로 쓰면 '평양'이 된다는 것이죠.

이두문은 한글이 창제

되기 전까지 우리말을 표현하는 주요한 수단이었습니다. 이것을 통해서도 우리 역
사를 체계적으로 연구할 수 있는 계기가 필요합니다. 신채호 선생은 《조선상고사》
를 쓰면서 이 점에 주목한 것입니다.

칭원법이란 무엇인가?

▲광개토대왕 오른쪽 위편 붉은 갑옷
을 입은 이가 광개토대왕

칭원법이란 왕이 다스리던 시대에 새 왕이 즉위하면 그 왕의 원년을 계산하는 방법을 말합니다. 그렇다면 이 칭원법은 왜 필요했고, 어떻게 사용한 것일까요?

오늘날에는 서력 기원, 즉 서기를 써서 연도를 나타내고 있습니다. 서기는 예수 탄생을 기점으로 하여 그 전인 기원전(B.C; Before Christ)와 그 이후인 기원후(A.D; Anno Domini)로 구분하는데, 단군이 고조선을 세웠다는 B.C 2333년이나 월드컵 4강의 신화를 이룬 2002년은 모두 서기를 이용하여 연도를 표시하는 것입니다. 그러나 이 서기가 전 세계적으로 사용되기 시작한 것은 불과 100년 남짓밖에 되지 않았습니다. 그 이전에는 각 나라마다, 지역마다 연도를 표기하는 방법이 달랐습니다.

우리나라와 중국, 일본 등 동아시아의 나라들은 연도를 표기하기 위해 연호를 사용하였습니다. 주로 중국의 연호를 사용하였지만 때로는 자기 나라만의 고유한 연호를 사용하기도 하였습니다. 아직도 일본이나 북한의 경우에는 자기나라의 고유한 연호인 '평성'이나 '주체'를 사용하고 있습니다. 여기서 연호란 왕이 자기가 다스리는 시대의 연도를 부르기 위해 만든 이름을 말합니다. 예를 들어 광개토태왕은 '영락'이라는 연호를 사용하였는데 광개토태왕이 백제를 공격하여 아신왕의 항복을 받아낸 것은 영락 6년의 일이었죠. 여기서 영락 6년이란 광개토태왕이 즉위한 지 6년째 되던 해를 의미하는 것입니다.

여기서 우리는 한 가지 문제에 부딪히게 됩니다. 바로 새 왕이 즉위한 해는 전 왕이 사망하거나 왕위에서 물러난 해라는 점입니다. 즉, 전 왕의 마지막 해와 새 왕의 첫 해가 겹치는 문제가 발생하는 것입니다. 이 문제를 해결하기 위한 방법이 바로 칭원법입니다.

이 칭원법에는 크게 두 가지 방법이 있습니다. 하나는 즉위년 칭원법이고, 다른 하나는 유년 칭원법입니다. 즉위년 칭원법이란 새 왕이 즉위한 그 해를 원년으로 삼는 것인데, 이것은 또다시 이전 왕이 죽은(또는 왕위에서 물러난) 그 달에 원년을 정하는 훙월 칭원법과 이전 왕이 죽은(또는 왕위에서 물러난) 다음 달부터 원년을 정하는 유월 칭원법으로 나눌 수가 있습니다. 일반적으로 지금까지 남아 있는 역사 책들의 기록을 살펴보면 고려 시대 이전에는 즉위년 칭원법, 그 중에서도 유월 칭 원법을 주로 사용하였음을 알 수 있습니다. 하지만 근래 들어 고대의 비석과 같은 금석문이 발견되면서 여기에도 나라마다 시대마다 차이가 있었을 것으로 보고 있 습니다. 《삼국사기》의 기록은 기본적으로 유월 칭원법을 따르고 있지만 이것은 고 려 시대에 기록한 것이기 때문에 실제로 삼국시대에는 각 나라가 사용한 칭원법과 는 다를 수 있다는 것입니다. 유교 경전이자 역사책인 《춘추》에서 이미 유년 칭원법을 사용하였기 때문에 유교가 전래된 삼국시대에 이미 유년 칭원법을 사용하였을 수도 있는 것입니다.

유년 칭원법이란 새 왕이 즉위한 이듬 해를 원년으로 삼는 것입니다. 이 방법에 따르면 전 왕이 죽거나 왕위에서 물러난 해까지는 전 왕의 연호를 사용하고, 새 왕의 연호는 즉위한 이듬해부 터 사용하는 것입니다. 예를 들어 세종대왕 10년이라고 한다면 세종대왕이 즉위한지는 11년째가 되는 해를 말하는 것입니다. 이 방법은 주로 조선 시대 이후의 역사책에서 사용하고 있습니다. 하지만 조선 시대의 모든 왕의 칭원을 이렇게 한 것은 아닙니다. 정상적인 절차에 의해 왕위를 계승한 경우가 아닌, 폐위된 왕의 뒤를 이은 왕은 즉위한 그 해부터를 원년으로 삼았습니다. 그러므로 조선 시대 전 시기에 걸쳐 유년 칭원법을 사용한 것은 아니지요.

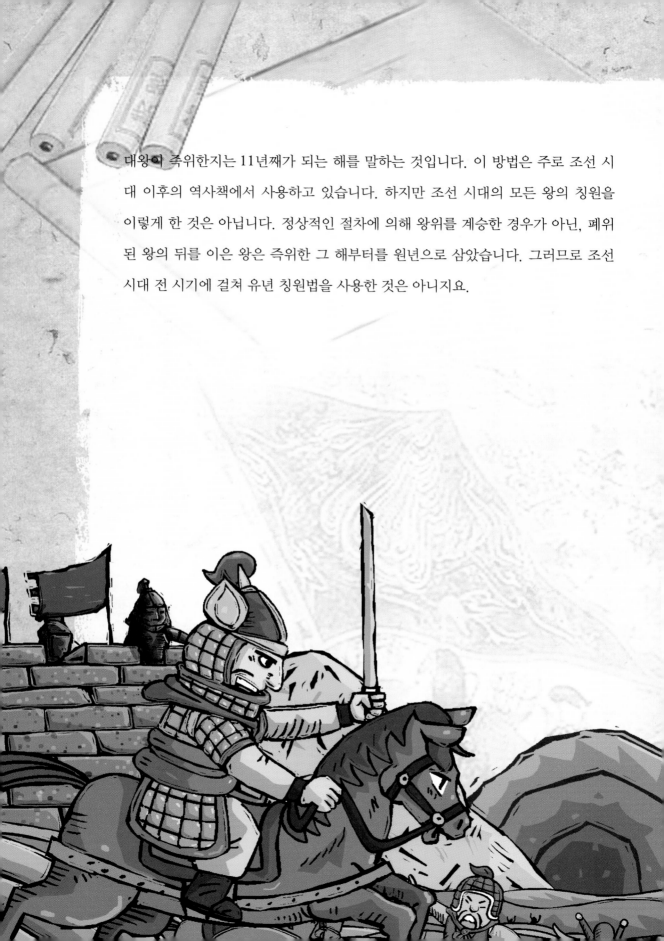

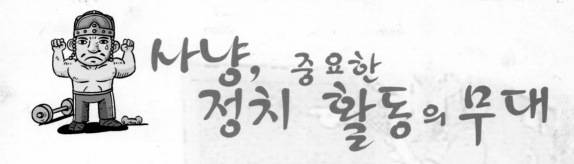

사냥, 중요한 정치 활동의 무대

▲ 무용총 벽화 중 〈수렵도〉.

중국과 북한 지역에 많이 남아 있는 고구려의 고분 벽화에는 사냥하는 그림들이 다양한 모습으로 생동감 있게 그려져 있습니다. 여러분은 이와 같은 사냥 그림을 보면서 어떤 생각을 하나요? 사냥에 담겨 있는 고구려 정치의 모습을 한번 상상해 보는 것도 재미있을 것 같네요.

고구려는 처음에 산과 골짜기를 중심으로 나라를 세웠기 때문에 농사만 지어서는 먹을 것을 충분히 얻기가 어려웠습니다. 그래서 부족한 식량은 사냥과 물고기잡이 등으로 보충하였을 뿐만 아니라 주변의 부족을 정복하여 필요한 물품을 빼앗아 경제를 유지하였습니다. 고구려가 옥저를 정복하여 옥저 사람들이 고구려에 소금과 해산물 등을 바쳤다는 것은 잘 알려진 이야기입니다.

이런 과정에서 사냥은 고구려인에게 식량을 얻는 수단일 뿐만 아니라 전쟁기술을 연마하고, 군사를 훈련시키는 중요한 수단이 되었습니다. 또 사냥은 고구려 귀족들의 중요한 오락이기도 하였습니다. 하지만 사냥이 이와 같은 기능을 한 것에 그치지 않고 귀족들이 정치적인 일을 도모하는 기회로 사용되기도 하였습니다. 고구려의 역사를 보면 사냥을 통해 권력을 장악하거나 왕을 교체하는 등의 일을 추진

▲ 6대 **태조왕** 현대 중국의 그림

한 예가 있습니다.

　그 첫 번째 예가 태조왕 때에 태조왕의 동생인 수성이 권력을 차지하기 위해 사냥터에서 모의한 일입니다. 태조왕은 신채호 선생도 이 책에서 얘기했듯이 상식적으로는 이해할 수 없을 정도로 오래 살며 왕위에 있었습니다. 무려 94년 동안 왕위에 있으며 120년을 살았으니까 말이죠. 당시에는 형제 간에 왕위를 물려주는 것이 관행이어서 태조왕의 다음 왕위는 그의 동생인 수성이 잇게 되어 있었습니다. 수성은 뛰어난 장군이자 전략가로서 여러 차례의 외침을 거뜬히 물리쳐 뭇사람들로부터의 신망도 두터웠습니다. 그러나 형이 오래도록 왕위에 있어 자기가 왕이 될 기회가 사라질 것을 염려하여 일을 꾸미게 됩니다.

　수성은 왕실 사냥터에서 사냥을 하다가 자신의 부하를 불러 모아 자기가 왕이 될 수 있는 방법을 찾아보라고 하였습니다. 이때 한 부하가 이렇게 왕위를 차지하기 위해 일을 도모하는 것은 반역이라고 직언을 하자 그를 죽이고 말았습니다. 그 이후 태조왕은 수성이 반역을 준비하고 있다는 신하의 말을 듣고서도 오히려 수성에게 왕위를 물려주었습니다.

　수성이 왕위에 오르는 과정이 역사책에 자세히 기록되어 있지 않지만 태조왕이 왕위에서 물러난 뒤에도 20년을 더 살았다는 점을 생각해 볼 때 수성은 사냥터에서 자기의 부하들과 자기가 왕위에 오를 계책을 마련한 후 서서히 권력을 장악하였을 것으로 생각해 볼 수 있습니다. 이처럼 사냥은 권력을 장악하기 위해 정치적인 모의를 할 때 그 계기로 작용하였던 것입니다.

　또 한 번은 봉상왕이 물러나고 미천왕이 오를 때의 일입니다. 봉상왕은 의심이 많아 자기의 왕위를 위협할 수 있는 주변 인물들을 모두 제거하였습니다. 심지어 자기 동생까지도 모두 살려두지 않았습니다. 이때 봉상왕의 동생 돌고의 아들인 을불은 화를 피하여 도망가 남의 집 종살이를 하였습니다. 이후 을불은 압록강을 따라 소금 장사를 하며 남의 눈을 피해 살았습니다.

▲ 15대 미천왕 현대 중국의 그림

   그런데 봉상왕은 나라의 정치를 제대로 돌보지 않았습니다. 흉년이 들어 백성들의 살림살이가 고달픈데도 젊은 사람들을 불러 모아 궁궐을 화려하게 꾸미는 등의 일을 하였습니다. 그래서 나라의 재상을 맡았던 창조리는 왕에게 백성과 나라를 보살펴 줄 것을 요구하였지만, 왕은 오히려 창조리에게 "그대는 백성을 위해 죽겠느냐?"고 협박하며 듣지 않았습니다. 왕이 그 마음을 고치지 않을 것을 안 창조리는 봉상왕을 폐하고 새로운 왕을 세울 것을 다짐하였습니다. 그래서 그는 을불을 찾아와 새로운 왕으로 세울 준비를 하였습니다. 그리고 때마침 왕이 신하들과 함께 사냥을 하러 가자 이때를 기회로 삼았습니다. 창조리는 자기와 같은 뜻을 품은 사람은 갈대 잎을 모자에 꽂으라고 하였습니다. 많은 신하들이 그를 따라 하자 신하들의 마음이 같은 줄 알게 된 창조리는 사냥터에서 봉상왕을 폐하고 을불을 올려 새로운 왕으로 삼았는데 그가 바로 미천왕입니다. 이처럼 왕을 폐하고 새로운 왕을 세우는 것 또한 사냥을 통해 이루어졌던 것입니다.

'춘추필법'이란 무엇인가?

▲ 공자

신채호 선생은 《조선상고사》에서 종종 중국의 역사책이나 사대주의에 물든 우리 옛 역사책은 춘추필법으로 쓰여 있어서 글자 그대로 믿으면 안 되고 그 속에 담긴 뜻을 제대로 파악할 줄 알아야 한다고 강조하였습니다. 그렇다면 '춘추필법'이란 무엇일까요?

'춘추필법'은 유교의 경전이자 공자가 쓴 춘추시대의 역사책인 《춘추》에 사용된 서술 방식을 말합니다. 물론 '춘추시대'라는 용어 자체가 《춘추》라는 책에서 비롯되었지요. 그렇다면 공자는 《춘추》를 어떻게 서술했을까요? 다음은 《춘추》에 기록된 내용의 일부입니다.

(宣公) 二年秋九月 乙丑 晉趙盾弑其君夷皐
선공 2년 가을 9월 을축에 진의 조순이 그 임금 이고를 죽였다.
(成公) 元年春 王正月 公卽位
성공 원년 봄 정월에 공이 즉위하였다.

여기서 볼 수 있듯이 춘추의 기록은 일어난 사실을 간단명료하게 기록하고 있으며, 일어난 일에 대한 설명이나 비판은 하지 않았습니다. 《춘추》의 이처럼 간단하게 사실을 서술하는 태도를 '술이부작(述而不作)'이라고 합니다. '술이부작'이란 공자가 논어에서 한 이야기인데, 자신은 '선현들의 말을 그대로 서술할 뿐 지어내지 않는다'는 뜻에서 한 말입니다. 그래서 《춘추》도 사실(史實) 중심으로 간단하게 기록되어 있는 것입니다. 하지만 《춘추》의 기록을 단순한 사실의 기록에 그친 것으로만 보면 안 됩니다. 왜냐하면 그 속에 사실에 대한 준엄하고도 엄정한 비판이 담겨 있기 때문입니다. 그렇다면 공자는 논평 한마디 없는 《춘추》에서 어떻게 역사의 평가를 내리고 있을까요? 그것은 사실의 취사 선택과 기록 용어의 차별을 통해서 나타낼 수 있었습니다.

예를 들어 《춘추》에는 노나라 왕들의 기록이 담겨 있는데 어느 왕은 즉위한 일을 기록하였지만 어느 왕은 즉위 사실을 기록하지 않았습니다. 왜 그랬을까요? 예를 들어 민공(閔公)의 경우에 즉위 사실이 기록되어 있지 않은데 이것은 당시 나라가 어지러웠기 때문입니다. 나라가 어지러웠던 시대에 왕의 즉위 사실을 의도적으로 기록하지 않음으로써 왕의 잘못을 책망하고 있는 것입니다. 또 전투에서 쉽게 이겨 빼앗으면 '취(取)'라 기록하고 어렵게 이기면 '극(克)'이라고 쓰는 등 특정한 상황에 특정한 글자를 사용함으로써 그 뜻을 숨겨 표현하였습니다. 이처럼 사실을 간단 명료하고 정확하게 기록하면서도 그 사건에 대하여서는 유교적 대의명분에 입각하여 준엄하게 비판을 내리는 역사 서술 방법, 이것이 바로 '춘추필법'입니다.

나름대로 의미 있는 역사 서술 방법이지요? 그렇다면 신채호 선생은 왜 춘추필법으로 쓴 중국의 역사책들을 비판적으로 보았을까요? 그것은 중국의 역사가들이 역사를 서술할 때 자기들 중심으로 서술하면서 중국에게 유리한 것은 과장하고, 불리한 것은 숨기거나 축소하여 기록하였다고 보기 때문입니다. 물론 겉으로 드러나지 않게 글자와 문장 속에 감추어 표현하였다는 것이지요. 사실 중국 근대의 유명한 사상가였던 량치차오(梁啓超)는 그의 저서에서 중국의 역사가들을 비판하고 있습니다.

　"한번 사적이 단절되면 자기 목적의 도구로 이용될 뿐이
다. 그 결과 자신만의 무리한 역사가 되었으며 사가(史家)의
신용은 곧 땅에 떨어지게 되었다. 이 악습은 공자에게서 처음
발생하여 2천 년의 역사에서 그 독이 퍼지지 않음이 없다."

　즉, 량치차오는 중국의 역사가들은 자기의 목적을 위해 역
사를 무리하게 사용하였고, 그리하여 중국 역사가의 신용이
땅에 떨어졌으며, 이러한 병폐가 공자로부터 비롯되었다고

▲ 량치차오

설명하고 있습니다. 신채호 선생은 이와 같은 입장에서 중국의 역사서들을 비판적
으로 보아야 한다고 주장하였던 것입니다.

　하지만 한편으로 춘추필법은 현재를 살아가는 우리들에게 언제나 준엄한 비판의
식으로 사물과 사건들을 바라볼 수 있는 안목을 길러야 한다고 얘기하고 있습니다.

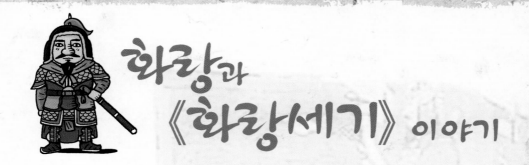

화랑과 《화랑세기》 이야기

화랑은 신라가 삼국을 통일하는 데 중요한 역할을 한 무사들의 조직으로 귀족의 자제들이 중심이 되어 활동하던 단체였습니다. 화랑과 그를 따르는 무리들을 함께 화랑도라 일컬었는데 '원화', '풍류', '낭가', '국선도', '풍월도', '풍류도' 등의 다양한 이름으로 불렸습니다.

《삼국사기》에는 진흥왕 마지막 해에 처음으로 원화를 받들었다는 기록이 있어, 이때 처음으로 화랑도를 마련한 것으로 알려져 있습니다. 그러나 그 이전에 이미 사다함이라는 화랑이 활동한 것이 '열전'에 기록되어 있는 것으로 보아 화랑도는 그 이전부터 존재했던 것을 알 수 있습니다.

화랑은 한자로 꽃 화(花)와 사내 랑(郞)으로 표기합니다. 삼국 통일의 주역이었던 이들의 이름에 '꽃'이라는 글자가 들어간다는 것이 좀 어울리지 않나요? 아무래도 꽃은 여자와 관련이 있다고 생각하기 때문입니다. 그렇습니다. 원래 화랑은 남자가 아닌 여자로 구성되어 있었습니다. 《삼국사기》에 보면 화랑은 나라의 인재를 뽑을 때 무리들이 함께 모여 놀게 한 후 그 행동을 살펴서 등용하기 위해 만들었는데, 처음에는 준정과 남모가 중심이 되어 300여 명의 무리를 거느리게 하였습니다. 하지만 준정이 남모를 질투하여 몰래 죽인 후 그 일이 알려져 준정마저 사형을 당하자 처음 모였던 무리들은 흩어지게 되었습니다. 그래서 이 일을 남자들에게 맡기고자 하여 새로 조직한 것이 남자로 구성된 화랑도였습니다. 당나라 영호징이라는 사람이 지은 《신라국기》라는 책에서는 귀족의 자제 중 아름다운 사람을 택하여 분을 바르고 곱게 꾸며서 이름을 화랑이라 하였다고 하였으니, 그 이름이 왜 화랑인지는 짐작이 갑니다. 그리고 김대문이 지은 《화랑세기》라는 책이 있는데, 이는 화랑의 계보와 활동을 기록했을 것으로 추측되는 책으로 그 내용의 일부가 《삼국사기》에 인용되어 있습니다. 이에 따르면 나라의 어진 재상과 충성스런 신하가 여기에서 나왔고, 훌륭한 장군과 용감한 병졸도 모두 이로부터 생겨났다고 하였습니다. 이를 통해 우리는 화랑도를 만든 이유와 목적을 알 수 있습니다.

▲ 필사가이자 역사학자인 남당 박창화

그런데 이 《화랑세기》라는 책이 지금까지 전해지지 않다가 1989년과 1995년에 이 책의 요약본과 필사본이 발견되면서 큰 이슈가 되었습니다. 이 책은 박창화라는 사람이 일본 강점기에 일본 왕실의 도서관에서 일하며 보았던 것을 베껴 적은 것이라고 하는데, 화랑의 우두머리인 풍월주라고 불리는 32명의 화랑 이름과 그들의 행적을 자세하게 기록하고 있습니다. 여기에는 우리가 잘 알고 있는 사다함과 김유신, 그리고 김춘추의 이름도 있습니다. 이 《화랑세기》는 그 내용이 우리가 알고 있는 것과 너무 달라 김대문이 지은 진짜 《화랑세기》가 아니라 후대인이 지어낸 가짜라는 논란에 휩싸였습니다. 그렇다면 이 책에는 어떤 내용이 담겨져 있을까요?

이 《화랑세기》의 서문에는 화랑도가 처음에는 여자로 조직되었다고 기록되어 있습니다. 이것은 우리가 알고 있는 사실이며, 《삼국사기》에도 그렇게 기록되어 있습니다. 그러나 《화랑세기》에는 화랑의 역할이 처음에는 신궁을 받들고 하늘에 제사를 지내는 것이었으나 나중에 남자들로 구성되면서 도의로써 서로 힘쓰면서 무사적인 성격으로 변해간 것으로 기록하고 있습니다. 이외에도 역사서에 등장하지 않는 '미실'이라는 여인과 이 여인이 자기 몸을 여러 권력자에게 바치는 '색공'을 통해 신라의 정치적 권력을 장악한 일이며, 화랑이 자기 아내가 임신했을 때 자기 아내를 윗사람에게 바치는 '마복'의 풍습은 오늘의 우리로서는 이해하기 힘들 정도로 성적인

▲ 《화랑세기》 남당 박창화 필사본 중 소위 모본(母本). 남당 박창화는 그 이전에 이미 가짜 필사본을 만든 전력이 있어 《화랑세기》의 진위 여부를 더욱 불확실하게 하고 있다.

자유분방함을 보여주고 있습니다. 하지만 이 책에는 일반사람이 감히 지어낼 수 없는 신라의 향가가 실려 있으며, 당시 신라의 성풍속을 오늘날의 잣대로 평가해서는 안 된다는 주장 등이 나오면서 이 책을 둘러 싼 진위 논쟁은 계속되고 있습니다. 여러분은 이 책을 어떻게 보나요?

이 책에 대한 진위 논쟁은 계속되고 있지만 우리는 이미 우리 주변에서 《화랑세기》와 관련한 많은 것들을 접할 수 있습니다. 《화랑세기》를 번역하고 해석을 붙인 책이 이미 시중에 나와 있을 뿐만 아니라, 이 책의 내용을 소재로 한 소설과 드라마가 큰 인기를 끌고 있기도 합니다. 가짜 책이라고 성급하게 결론을 내리기보다, 또 무조건 사실 관계를 따져보지도 않고 진짜 책이라고 믿기보다는 이 책이 과연 어떤 책인지 읽어보고 생각해보면서 자기 나름대로의 판단을 해 보는 것은 어떨까요?

갓쉰동 전(傳)

▲ 안시성 싸움
안시성싸움은 당태종과 연개소문이 맞붙은 대표적인 전투로 이 싸움에서 당태종은 한쪽 눈을 잃고 패하여 돌아갔다.

고구려의 재상 연국혜는 나이 오십이 되도록 자식이 없자 하늘에 제사를 지내고 겨우 아들을 낳아 그 이름을 '갓쉰동'이라고 하였다. '갓쉰동'이란 '갓 쉰(50세) 되던 때에 낳은 아이'란 뜻이다. 그러나 갓쉰동이 7살 때 집 앞을 지나가던 도사가 그를 보고 말하기를 "이 아이가 자라면 명예와 부귀가 무궁할 터인데 타고난 수명이 짧아 그때를 기다리지 못할 것"이라고 하였다. 그러자 연국혜는 도사에게 이 아이가 오래 살 수 있는 방법을 물었고, 도사는 아이를 버려 부모와 서로 만나지 않으면 된다고 하였다. 늦게 얻은 귀한 아들을 버린다는 것이 차마 할 수 없는 짓이었지만 아들의 장래를 위해 어쩔 수 없이 사람을 시켜 아주 먼 시골에다 갖다 버리게 하였다. 그곳은 원주 학성동이었다. 그러면서도 만일을 위해 먹으로 아이의 등에다가 '갓쉰동'이란 글자를 새겨서 보냈다.

학성동에 살던 유씨는 꿈에 개천에서 황룡이 올라가는 것을 보고 괴이하게 여겨 새벽에 밖에 나갔다가 갓쉰동을 만나 거두어 기르게 되었다. 유씨는 갓쉰동의 비범함을 알았으나 다른 사람의 눈치 때문에 신분을 높이지 못하고 글자 몇 자를 가르친 후 자기 집 종으로 삼았다. 갓쉰동은 어느 날 나무하러 갔다가 한 노인을 만나게 되었는데 그 노인은 갓쉰동에게 학문과 무예, 병법, 천문과 지리 등을 가르쳐 주었다.

청년이 된 갓쉰동은 유씨 집 셋째 딸 영희가 천한 신분인 자기를 인간적으로 대우해주는 것에 마음이 끌렸고, 영희 또한 갓쉰동의 비범함을 알고 서로 가까운 사이가 되었다. 영희는 신분에 따라 결혼하지 않고 오직 진정한 사나이의 아내가 될 것이라며 갓쉰동에게 장래의 포부를 묻자 갓쉰동은 나라를 침략하는 달딸이라는 외적을 물리치고 싶다고 했다. 그러자 영희는 적을 이기려면 적국의 사정을 잘 알아야 한다며 갓쉰동에게 직접 달딸국에 들어가 정탐을 하고 오면 그의 아내가 될 것이라고 약속을 하였다. 마침내 갓쉰동은 몰래 달딸국에 들어가 그들의 말과 풍속을 배우고 익히며 그 사정을 모두 캐내기 시작했다.

▲ 연개소문
칼을 든 연개소문과 활을 쏘는 설인귀의 전투 장면을 당태종이 지켜보고 있다. 연개소문 위쪽으로 다섯 개의 칼이 보이는데 연개소문은 평소 오패도(다섯 개의 칼)를 사용했다고 한다.
ⓒ 〈당설인귀과해정료고사〉삽화

갓쉰동은 그 나라의 내부 사정을 파악하기 위하여 달딸국 왕의 종이 되어 일하였다. 그의 행동이 영리하여 왕의 신임을 받았는데, 왕의 둘째 왕자가 갓쉰동의 비범함을 알고, 갓쉰동이 자기 나라에 해를 끼칠 것을 염려하여 자기 집 감옥에 가두어 굶겨 죽이려고 하였다. 감옥에 갇힌 갓쉰동은 왕과 왕자들이 사냥하러 나간 틈을 타서 공주를 꾀어 겨우 감옥을 벗어날 수 있었다.

감옥을 벗어난 갓쉰동은 낮에는 엎드려 숨고, 밤에만 걷고 달리며, 풀뿌리를 캐 먹으며 우여곡절 끝에 다시 고구려로 돌아올 수 있었다. 이후 갓쉰동은 과거에 급제하여 벼슬길에 올랐으며, 드디어 영희와 결혼도 하고 마침내는 장수가 되어 달딸국을 토벌하였다.

신채호 선생님은 이 갓쉰동이 바로 연개소문인데 '갓'은 '개'이고 '쉰'은 '소문'으로 발음나기 때문에 갓쉰동은 바로 연개소문의 다른 이름이라고 하였습니다. 그리고 이 이야기에 나오는 달딸국은 항상 고구려를 괴롭히던 당나라를 의미하구요. 따라서 '갓쉰동 전'은 연개소문이 젊었을 때 당나라에 들어가 그들의 말과 풍습을 익히고, 그 내부 사정을 정탐하고 돌아온 후 당나라와의 싸움에서 승리를 거둔 역사적 사실을 반영하고 있다는 것입니다. 지금도 중국의 대표적인 연극인 경극에 연개소문이 등장하는 것을 보면 연개소문이 당나라에게 얼마나 무섭고 두려운 존재였는지 알 수 있습니다. 그러므로 이와 같은 연개소문의 이야기가 갓쉰동 전으로 남아 전해지는 것도 전혀 이상한 일이라고 볼 수만은 없을 것 같습니다.

▲ 경극에 등장하는 연개소문 가면

신채호의 일생을 따라 움직인 우리 역사

▲ **독립운동가 신석우, 신규식과 함께 한 신채호** 망명 중 찍은 것으로 왼쪽 중국 옷을 입은 사람이 신채호.

신채호의 어린 시절(1세-16세/1880-1895)

신채호는 일본이 조선을 강제로 개항시킨 지 얼마 지나지 않은 1880년에 태어났습니다. 개항 이후 밀려들어오기 시작한 외국문물과 각종 물건들은 조선 사회의 여러 곳으로 퍼져 나갔고, 특히 영국산 면화가 값싸게 수입되면서 조선의 농촌은 급속하게 붕괴되기 시작하였습니다.

청나라와 일본이 조선을 놓고 경쟁하는 가운데 농민들은 점차 외세에 반대하는 의식이 성장하여 동학농민운동으로 폭발하였습니다. 이 와중에서 청·일전쟁과 갑오개혁의 시기를 거치면서 조선

사회는 혼란의 시대로 접어들게 됩니다. 특히 청·일전쟁에서 승리한 일본은 조선을 독점하려는 야욕을 드러냈고, 러시아를 끌어들여 일본을 견제하려는 명성황후를 시해하는 을미사변이 발생하였는데(1895) 신채호는 이 해에 결혼하였습니다.

신채호의 청년기(17세-30세/1896-1910년)

명성황후가 시해된 이후 고종은 러시아 공사관으로 피신하였는데(아관파천), 이때는 청나라가 조선에서 세력을 잃고 그 자리를 러시아가 대신하면서 일본과 경쟁

하던 시기였습니다. 서재필과 같은 개화 인사들은 독립협회를 조직하고 〈독립신문〉을 발간하면서 열강의 이권침탈을 비판하며, 나라의 힘을 기르자는 취지에서 애국계몽운동을 전개하였습니다. 이 시기 신채호는 성균관에 입학하여 유학을 공부하면서도 독립협회의 회원으로 활동하였습니다.

러시아 공사관에서 돌아온 고종은 열강의 세력 균형을 토대로 대한제국을 선포하며, 황제권을 강화하고자 하였습니다. 이런 가운데 신채호가 25세 되던 해인 1904년 러·일 전쟁이 일어나고 여기에서 승리한 일본은 이제 본격적으로 조선을 식민지화하기 위해 을사늑약을 체결, 고종의 강제 퇴위, 군대 해산 등의 절차를 밟아 나갔습니다. 이런 상황 속에서 신채호는 〈대한매일신보〉의 주필로 활동하였으며, 《이태리 건국 3걸전》 등의 글을 써서 국민들의 독립 의지를 고취시키고자 노력하였습니다. 1910년 마침내 나라가 망하자 신채호 선생은 30세의 나이에 중국으로 망명의 길을 떠나게 되었습니다.

▲ **박자혜, 신채호** 망명지에서 결혼한 두 번째 부인 박자혜와 함께한 사진

30대의 신채호와 일제의 무단통치(1910~1919년)

조선을 침략한 일제는 조선 총독부를 설치하고 헌병경찰을 동원하여 무단통치를 실시하였습니다. 이 시기 신채호는 중국에서 《조선사》 집필을 준비하며 중국의 신문에 논설을 싣기도 하였습니다. 또한 신규식 등과 함께 신한 청년회를 조직하여 해외동포 교육에 힘썼습니다. 이후 제1차 세계대전이 발발하고 마무리되면서 패전국의 식민지가 독립되기도 하자, 이런 분위기를 이용하여 독립을 쟁취하기 위해 3·1운

▲ 신채호가 갇혀 있었던 뤼순 감옥 35호.

동 등을 전개하였지만 일본은 당시 승전국이었기 때문에
독립의 뜻은 이루지 못하였습니다. 하지만 3 · 1운동으로
일본의 통치 방식이 변화되었고, 또한 상하이에 대한민국
임시정부가 수립되었습니다. 이때 신채호는 임시정부에
참여하여 활동하였는데 그의 나이 40세였습니다.

▲ 뤼순 감옥에 수감중인 신채호

감옥에 수감된 뒤 죽음까지(1928-1936)

신채호는 독립운동 자금을 마련하기 위해 중국인으로
변장하며 활동하던 중 1928년 대만에서 일본 경찰에게
체포되어 대련으로 호송된 후 재판을 받고 뤼순 감옥에
투옥되었는데, 그의 나이 48세였습니다. 신채호가 수감된 3년 뒤인 1931년, 일본
은 노골적인 중국침략 의도를 드러내 만주를 침략하는 만주사변을 일으켰습니다.
일제가 만주를 점령하자 그 동안 이 지역을 중심으로 전개되었던 독립운동은 위축
되고 중국 본토와 러시아 등지로 흩어지게 되었습니다. 일제는 나아가 조선에서
민족말살정책을 추진하며 전쟁 물자를 모으기 위해 모든 인적 자원과 물자를
수탈해 가기 시작하였습니다. 이 어려운 시기 신채호는 추운 뤼순
감옥에서 57세의 나이로 삶을 마감하였습니다.

신채호 조선상고사

김대현 글 | 최정규 그림

01 《조선상고사》를 쓴 사람은 누구일까요?
① 박은식   ② 신채호   ③ 한용운
④ 정인보   ⑤ 최남선

02 신채호의 《조선상고사》를 연재했던 신문은 무엇일까요?
① 매일신보   ② 동아일보   ③ 조선일보
④ 독립신문   ⑤ 황성신문

03 《조선상고사》는 우리 역사가 '수두시대'부터 시작한다고 했습니다. 다음 중 '수두'에 해당하는 말은 무엇일까요?
① 소도   ② 신지   ③ 부여   ④ 평양   ⑤ 단군

04 고구려가 중국 등 주변국과의 싸움에서 이기며 국력을 크게 키울 수 있었던 원동력이 된 제도는 무엇일까요?
① 경당   ② 진대법   ③ 제가회의
④ 화랑제도   ⑤ 선배제도

05 신채호가 《조선상고사》에서 중점을 두고 서술한 나라는 어디일까요?
① 고조선   ② 부여   ③ 고구려   ④ 백제   ⑤ 신라

06 신채호는 《조선상고사》에서 역사를 바르게 기록하기 위해서는 세 가지 요소가 중요하다고 했습니다. 이 세 가지 요소가 바르게 짝 지어진 것은 무엇일까요?

① 때(時) – 땅(地) – 사람(人)

② 하늘(天) – 땅(地) – 사람(人)

③ 사건(事件) – 역사가(歷史家) – 사관(史觀)

④ 정확성(正確性) – 객관성(客觀性) – 사실성(事實性)

⑤ 사건(事件) – 때(時) – 객관성(客觀性)

07 신채호는 《조선상고사》 총론에서 역사를 다음과 같이 정의했습니다. 빈 칸에 각각 들어갈 말은 무엇일까요?

역사는 (   )와 (   )와의 투쟁의 기록이다.

---

08 다음은 조선시대 학자들과 신채호가 바라본 우리 고대 역사의 정통성을 정리한 것입니다. 빈 칸에 들어갈 알맞은 말을 쓰세요.

조선시대 학자: 단군조선 → 기자조선 → 삼한 → 삼국

신채호: 대단군조선 → (   ) → 부여 → 고구려

---

09 연개소문이 어렸을 때 중국을 돌아다니며 정보를 수집했다는 이
야기가 실려 있는 중국의 이야기는 무엇일까요?

_____

_____

_____

_____

10 신채호가 김부식의 《삼국사기》를 왜 비판했는지 설명해 보세요.

_____

_____

_____

_____

정답

01 ② / 02 ③ / 03 ①
04 ⑤ : 여기서 선배는 상인(商人) 또는 상(商) 사람(人)의 우리말입니다.
05 ③ / 06 ① / 07 아, 타이 / 08 고조선 / 09 장사동굴
이 감자의 사계인 역사(비뚤릴 가지고 있었으며, 현실이 역사를 기준을 때에도 민족을 중심으로 기준했습니다.

신채호의 역사관

신채호는 독립운동가로도 유명하지만, 뛰어난 역사가로도 널리 알려져 있습니다. 신채호가 남긴 말 중에 다음과 같은 말이 있습니다.

'민족을 버리면 역사가 없을지며, 역사를 버리면 민족의 그 국가에 대한 관념이 크지 않을지니, 오호라 역사가의 책임이 막중할진저.'

이는 신채호가 〈대한매일신보〉 '독사신론'에 실은 것으로 민족은 역사가 없으면 국민이 되기 힘들 뿐이지만 역사는 민족이 없으면 아예 존재하지 않는다는 의미입니다. 신채호의 민족과 역사에 대한 인식은 '역사는 아와 비아의 투쟁'이라는 말에도 드러나 있지요. 역사는 나와 내가 아닌 남 사이의 관계(투쟁)로서 존재한다고 보는것입니다. 그런데 신채호는 이러한 역사관을 끝까지 믿었을까요? 신채호의 이런 민족주의 역사관은 한 가지 약점이 있었습니다. '나와 남 사이의 투쟁에서 진 민족은 그럼 어떻게 되는 것일까?' 하는 의문이었죠. 이는 승자가 모든 것을 차지한다는 약육강식의 세계관과 닿아 있으며 일제강점기 일본이 취하고 있던 입장이기도 했습니다.

결국 신채호는 이런 역사관에 회의를 느끼고 민족이 아닌 '민중'을 중시하는 역사관으로 인식을 바꿉니다. 아쉽게도 이러한 그의 인식 변화는 체포와 죽음으로 인해 구체적인 기록으로 남겨진 것이 없습니다. 하지만 사대주의를 극복하고 민족과 민중 중심의 역사학을 근대적 방법을 통해 펼치고자 했던 신채호의 노력은 현재를 살아가는 우리가 왜 역사를 잊지 말아야 하는지를 알려 주는 계기가 되고 있습니다.

통합교과학습의 기본은 세계사의 이해,
세계대역사 50사건

제대로 알차게 만든 교양 세계사 만화!
우리 집 최고의 종합 인문 교양서!

★서양사와 동양사를 21세기의 균형적 시각에서 다룬 최초의 역사 만화
★세계사의 핵심사건과 대표적 인물을 함께 소개해 세계사의 맥락을 짚어 주는 책
★시시각각 이슈가 되는 세계사 정보를 지식이 되게 하는 재미있는 대중 교양서

김창회 외 글 | 진선규 외 그림 | 232쪽 내외